COMO FUNCIONA O FASCISMO

COMO FUNCIONA O FASCISMO

A POLÍTICA DO "NÓS" E "ELES"

11ª EDIÇÃO

JASON STANLEY

Tradução de Bruno Alexander

L&PM EDITORES

Texto de acordo com a nova ortografia.
Título original: *How Fascism Works: The Politics of Us and Them*

Primeira edição: dezembro de 2018
11ª edição: junho de 2025

Tradução: Bruno Alexander
Capa: L&PM Editores
Foto da folha de rosto: Everett Historical/Shutterstock.com
Preparação: L&PM Editores
Revisão: Jó Saldanha

CIP-Brasil. Catalogação na publicação
Sindicato Nacional dos Editores de Livros, RJ.

S791c

Stanley, Jason, 1969-
Como funciona o fascismo: a política do "nós" e "eles" / Jason Stanley; tradução Bruno Alexander. – Porto Alegre [RS]: L&PM, 2025.
208 p. ; 21 cm.

Tradução de: *How Fascism Works: The Politics of Us and Them*
ISBN 978-85-254-3820-1

1. Fascismo. 2. Poder (Ciências sociais) - Aspectos políticos. I. Alexander, Bruno. II. Título.

18-53759 CDD: 321.94
CDU: 329.18

Meri Gleice Rodrigues de Souza - Bibliotecária CRB-7/6439

Rua Comendador Coruja, 314, loja 9 – Floresta – 90.220-180
Porto Alegre – RS – Brasil / Fone: 51.3225.5777

Pedidos & Depto. Comercial: vendas@lpm.com.br
Fale conosco: info@lpm.com.br
www.lpm.com.br

Impresso no Brasil
Outono de 2025

A Emile, Alain, Kalev, Talia
e sua geração

SUMÁRIO

INTRODUÇÃO

Tendo crescido com pais que deixaram a Europa como refugiados, fui criado com histórias da nação heroica que ajudou a derrotar os exércitos de Hitler e inaugurar uma era inédita de democracia liberal no Ocidente. Já próximo do final da vida, gravemente doente com mal de Parkinson, meu pai insistiu em visitar as praias da Normandia. Apoiado nos ombros da esposa, minha madrasta, ele realizou o antigo sonho de caminhar onde tantos jovens americanos valentes perderam a vida na guerra contra o fascismo. No entanto, embora minha família comemorasse e honrasse esse legado americano, meus pais também sabiam que o heroísmo americano e as ideias americanas de liberdade nunca foram uma coisa só.

Antes da Segunda Guerra Mundial, Charles Lindbergh era o exemplo do heroísmo americano, com seus voos ousados, incluindo o primeiro voo solo a cruzar o Atlântico, e a celebração da nova tecnologia. Lindbergh apostou sua fama e a posição de herói num papel de destaque no movimento America First [Estados Unidos em primeiro lugar], que se opunha à entrada dos Estados Unidos na guerra contra a

Alemanha nazista. Em 1939, num ensaio intitulado "Aviation, Geography, and Race" [Aviação, geografia e raça], publicado no periódico mais americano que existia, o *Reader's Digest*, Lindbergh defendia para os Estados Unidos algo parecido com o nazismo:

> Chegou a hora de deixarmos de lado nossas contendas e construirmos nossos baluartes brancos mais uma vez. Essa aliança com raças de fora não significam nada além de morte para nós. Agora é a nossa vez de proteger nossa herança dos mongóis, persas e mouros, antes que sejamos engolidos por um mar estrangeiro sem limites.[1]

O ano de 1939 também foi o ano em que meu pai, Manfred, com seis anos na época, escapou da Alemanha nazista, deixando o aeroporto de Tempelhof, em Berlim, em julho, com sua mãe, Ilse, depois de passarem meses na clandestinidade. Ele chegou a Nova York no dia 3 de agosto de 1939, passando de navio pela Estátua de Liberdade em direção ao porto. Temos um álbum de família das décadas de 1920 e 1930. Na última página, há seis fotos diferentes da Estátua da Liberdade tornando-se gradativamente visível.

O movimento America First era a faceta pública do sentimento pró-fascista dos Estados Unidos naquela época.[2] Nas décadas de 1920 e 1930, muitos americanos tinham a mesma visão de Lindbergh contra a imigração, sobretudo de não europeus. A Lei da Imigração de 1924 restringia a imigração ao país, e seu principal objetivo era dificultar a imigração tanto de não brancos quanto de judeus. Em 1939, os Estados Unidos permitiram que pouquíssimos refugiados atravessassem suas fronteiras, e é um milagre que meu pai estivesse entre eles.

Em 2016, Donald Trump ressuscitou o "America First" como um de seus slogans, e desde sua primeira semana no cargo seu governo tem proibido implacavelmente a imigração, incluindo de refugiados, principalmente de países árabes. Trump também prometeu deportar os milhões de trabalhadores não brancos, provenientes da América Central e da América do Sul, que estavam ilegais nos Estados Unidos e, ainda, dar um fim à legislação que protege da deportação os filhos trazidos com eles. Em setembro de 2017, o governo Trump estabeleceu um limite de 45 mil no número de refugiados que poderiam entrar nos Estados Unidos em 2018 – o menor número desde que os presidentes começaram a estabelecer esses limites.

Se Trump lembrou Lindbergh especificamente com o "America First", o resto de sua campanha também ansiava por um ponto vago na história: "Make America Great Again" [Fazer dos Estados um grande país novamente]. Mas quando, exatamente, aos olhos da campanha de Trump, os Estados Unidos foram um país grande? Durante o século XIX, quando o país escravizava sua população negra? Na vigência das leis Jim Crow, quando os negros americanos do Sul eram impedidos de votar? Uma dica sobre a década que mais chamou atenção para a campanha de Trump surgiu numa entrevista da *Hollywood Report*, em 18 de novembro de 2018, com Steve Bannon, o principal estrategista do então presidente eleito, em que ele observa que a era que está por chegar "será tão emocionante quanto a década de 1930". Ou seja, a era em que os Estados Unidos tinham a maior simpatia pelo fascismo.

***

Nos últimos anos, diversos países de todos os cantos do mundo foram acometidos por uma espécie de nacionalismo de extrema direita. A lista inclui Rússia, Hungria, Polônia, Índia, Turquia e Estados Unidos. A tarefa de generalizar em torno de tal fenômeno é sempre problemática, já que o contexto de cada país é sempre único. Mas essa generalização é necessária no momento atual. Escolhi o rótulo "fascismo" para qualquer tipo de ultranacionalismo (étnico, religioso, cultural), no qual a nação é representada na figura de um líder autoritário que fala em seu nome. Como Donald Trump declarou em seu discurso na Convenção Nacional Republicana em julho de 2016, "eu sou sua voz".

Meu interesse neste livro está na *política* fascista, sobretudo nas táticas fascistas como mecanismo para alcançar poder. Quando aqueles que empregam essas táticas chegam ao poder, os regimes que eles praticam são, em grande parte, determinados por condições históricas específicas. O que aconteceu na Alemanha foi diferente do que aconteceu na Itália. A política fascista não conduz necessariamente a um estado explicitamente fascista, mas é perigosa de qualquer maneira.

A política fascista inclui muitas estratégias diferentes: o passado mítico, propaganda, anti-intelectualismo, irrealidade, hierarquia, vitimização, lei e ordem, ansiedade sexual, apelos à noção de pátria e desarticulação da união e do bem-estar público. Embora a defesa de certos elementos seja legítima e, às vezes, justificada, há momentos na história em que esses elementos se reúnem num único partido ou movimento político, e esses momentos são perigosos. Nos Estados Unidos de hoje, os políticos republicanos utilizam essas estratégias com cada vez mais frequência. Sua crescente tendência a se envolver nesse tipo de política deve obrigar os conservadores honestos a refletir.

Os perigos da política fascista vêm da maneira específica como ela desumaniza segmentos da população. Ao excluir esses grupos, limita a capacidade de empatia entre outros cidadãos, levando à justificação do tratamento desumano, da repressão da liberdade, da prisão em massa e da expulsão, até, em casos extremos, o extermínio generalizado.

Genocídios e campanhas de limpeza étnica são geralmente precedidos pelos tipos de táticas políticas descritas neste livro. Nos casos da Alemanha nazista, de Ruanda e da Mianmar de hoje, as vítimas de limpeza étnica foram submetidas a ataques retóricos cruéis por líderes e pela imprensa por meses ou anos antes de o regime se tornar genocida. Com esses precedentes, deveria preocupar a todos os americanos que, como candidato e como presidente, Donald Trump tenha insultado, pública e explicitamente, grupos de imigrantes.

A política fascista pode desumanizar grupos minoritários mesmo quando não há o surgimento de um Estado explicitamente fascista.[3] Em alguns aspectos, Mianmar está em transição para uma democracia. Mas cinco anos de brutal retórica dirigida à população muçulmana rohingya resultaram, no entanto, num dos piores casos de limpeza étnica desde a Segunda Guerra Mundial.

***

O sintoma mais marcante da política fascista é a divisão. Destina-se a dividir uma população em "nós" e "eles". Muitos tipos de movimentos políticos envolvem tal divisão. Por exemplo, a política comunista utiliza como arma as divisões de classe. Para fazer uma descrição da política fascista é necessário descrever a maneira muito específica pela qual a política fascista distingue "nós" de "eles", apelando para distinções étnicas, religiosas ou raciais, e usando essa divisão para moldar a ideologia e, em última análise, a política. Todo o mecanismo da política fascista trabalha para criar ou solidificar essa distinção.

Os políticos fascistas justificam suas ideias ao aniquilar um senso comum de história, criando um passado mítico para respaldar sua visão do presente. Eles reescrevem a compreensão geral da população sobre a realidade distorcendo a linguagem da idealização por meio da propaganda e promovendo o anti-intelectualismo, atacando universidades e sistemas educacionais que poderiam contestar suas ideias. Depois de um tempo, com essas técnicas, a política fascista acaba por criar um estado de irrealidade, em que as teorias da conspiração e as notícias falsas tomam o lugar do debate fundamentado.

À medida que a compreensão comum da realidade se desintegra, a política fascista abre espaço para que crenças perigosas e falsas criem raízes. Em primeiro lugar, a ideologia fascista procura naturalizar a diferença de grupo, dando assim a aparência de respaldo científico e natural a uma hierarquia de valor humano. Quando classificações e divisões sociais se solidificam, o medo substitui a compreensão entre os grupos. Qualquer progresso para um grupo minoritário estimula sentimentos de vitimização na população dominante. Política da lei e da ordem tem apelo de massa, lançando "nós" como cidadãos legítimos e "eles", em contraste, como criminosos sem lei, cujo comportamento representa uma ameaça existencial à masculinidade da nação. A ansiedade sexual também é algo típico da política fascista, pois a hierarquia patriarcal é ameaçada pela crescente igualdade de gênero.

À medida que o medo em relação a "eles" cresce, "nós" passamos a representar tudo o que é virtuoso. "Nós" vivemos no centro rural, onde os valores puros e as tradições da nação ainda existem milagrosamente, apesar da ameaça de cosmopolitismo das cidades da nação, ao lado das hordas de minorias que vivem ali, encorajadas pela tolerância liberal. "Nós" somos trabalhadores e conquistamos nosso primeiro lugar com luta e mérito. “Eles” são preguiçosos, sobrevivem dos bens que produzimos, explorando a generosidade de nossos sistemas de bem-estar social ou empregando instituições corruptas, como sindicatos, para separar os cidadãos honestos e trabalhadores de seus salários. “Nós” somos produtores; “eles” são parasitas.

Muitos indivíduos não estão familiarizados com a estrutura ideológica do fascismo, na qual cada mecanismo da política fascista tende a se basear em outros. Eles não reconhecem a interconexão dos slogans políticos que são solicitados a repetir. Escrevi este livro na esperança de fornecer aos cidadãos as ferramentas fundamentais para reconhecer a diferença entre as táticas legítimas da política democrática liberal, de um lado, e as táticas desleais da política fascista, de outro.

***

Em sua própria história, os Estados Unidos podem encontrar um legado do melhor da democracia liberal, assim como as raízes do pensamento fascista (na verdade, Hitler foi inspirado pelas leis da Confederação e pelas leis Jim Crow). Após os horrores da Segunda Guerra Mundial, que obrigou multidões de refugiados a fugir de regimes fascistas, a Declaração Universal dos Direitos Humanos, de 1948, afirmou a dignidade de cada ser humano. A redação e a adoção do documento foram lideradas pela ex-primeira-dama Eleanor Roosevelt e, depois da guerra, representava os ideais dos Estados Unidos tanto quanto os das novas Nações Unidas. Foi uma declaração ousada, uma iteração e expansão poderosa da compreensão democrática liberal sobre a individualidade de modo a abarcar literalmente toda a comunidade mundial. Ela vinculava todas as nações e culturas a um compromisso comum de valorizar a igualdade de todas as pessoas, e isso estava de acordo com as aspirações de milhões num mundo destruído, enfrentando a devastação do colonialismo, genocídio, racismo, guerra global e, sim, fascismo. Depois da guerra, o Artigo 14 foi particularmente pungente, afirmando solenemente o direito de todas as pessoas a pedir asilo político. Embora a declaração tentasse impedir a repetição do sofrimento vivido durante a Segunda Guerra Mundial, reconhecia que certas categorias de pessoas poderiam, mais uma vez, ter de fugir dos países sob cuja bandeira viviam.

O fascismo hoje pode não ter exatamente a mesma aparência que tinha na década de 1930, mas os refugiados estão novamente na estrada em todos os lugares. Em diversos países, seu drama reforça a propaganda fascista de que a nação está sitiada, de que os estrangeiros são uma ameaça e um perigo dentro e fora de suas fronteiras. O sofrimento de estranhos pode cristalizar a estrutura do fascismo. Mas pode também desencadear empatia se outra lente for colocada no lugar.

1

O PASSADO MÍTICO

> É em nome da tradição que os antissemitas baseiam seu "ponto de vista". É em nome da tradição, do longo passado histórico e dos laços de sangue com Pascal e Descartes que os judeus são informados de que nunca pertencerão a este lugar.
>
> Frantz Fanon, *Pele negra, máscaras brancas* (1952)

É natural começar este livro onde a política fascista invariavelmente afirma descobrir sua gênese: no passado. A política fascista invoca um passado mítico puro que foi tragicamente destruído. Dependendo de como a nação é definida, o passado mítico pode ser religiosamente puro, racialmente puro, culturalmente puro ou todos os itens acima. Mas há uma estrutura comum a todas as mitificações fascistas. Em todos os passados míticos fascistas, uma versão extrema da família patriarcal reina soberana, mesmo que há poucas gerações. Recuando mais no tempo, o passado mítico era um tempo de glória da nação, com guerras de conquista lideradas por generais patriotas, com exércitos repletos de guerreiros leais, seus compatriotas, fisicamente aptos e cujas esposas ficavam em casa cuidando da próxima geração. No presente, esses mitos se tornam a base da identidade da nação submetida à política fascista.

Na retórica de nacionalistas extremos, esse passado glorioso foi perdido pela humilhação provocada pelo globalismo, pelo cosmopolitismo liberal e pelo respeito por "valores universais", como a igualdade. Esses valores, supostamente, enfraqueceram a nação diante de desafios reais e ameaçadores para sua existência.

Esses mitos geralmente se baseiam em fantasias de uma uniformidade pregressa inexistente, que sobrevive nas tradições das pequenas cidades e dos campos, os quais permanecem relativamente isentos da decadência liberal dos grandes centros urbanos. Essa uniformidade – linguística, religiosa, geográfica ou étnica – pode ser perfeitamente comum em alguns movimentos nacionalistas, mas os mitos fascistas diferenciam-se com a criação de uma história nacional gloriosa, em que os membros da nação escolhida governavam devido a conquistas e realizações em prol do desenvolvimento da civilização. Por exemplo, na imaginação fascista, o passado invariavelmente envolve papéis de gênero tradicionais e patriarcais. O passado mítico fascista tem uma estrutura particular, que sustenta sua ideologia autoritária e hierárquica. O fato de que as sociedades do passado raramente eram tão patriarcais, ou tão gloriosas, quanto a ideologia fascista as faz imaginar não vem ao caso. Essa história imaginária fornece provas para apoiar a imposição de hierarquia no presente, e dita como a sociedade contemporânea deve ser e agir.

Num discurso de 1922 no Congresso Fascista em Nápoles, Benito Mussolini declarou:

> Nós criamos o nosso mito. O mito é uma fé, uma paixão. Não é necessário que ele seja uma realidade... Nosso mito é a nação, nosso mito é a grandeza da nação! E a esse mito, essa grandeza, que queremos transformar numa realidade total, subordinamos tudo.[1]

Aqui, Mussolini deixa claro que o passado mítico fascista é *intencionalmente* mítico. A função do passado mítico, na política fascista, é aproveitar a emoção da nostalgia para princípios centrais da ideologia fascista: autoritarismo, hierarquia, pureza e luta.

Com a criação de um passado mítico, a política fascista cria um vínculo entre a nostalgia e a realização dos ideais fascistas. Os fascistas alemães também compreenderam claramente esse ponto sobre o uso estratégico de um passado mitológico. O principal ideólogo nazista, Alfred Rosenberg, editor do proeminente jornal nazista *Völkischer Beobachter*, escreve em 1924: "A compreensão e o respeito por nosso próprio passado mitológico e nossa própria história serão a primeira condição para ancorar mais firmemente a próxima geração no solo da pátria original da Europa".[2] O passado mítico fascista existe para ajudar a *mudar o presente.*

***

A família patriarcal é um ideal que os políticos fascistas pretendem criar na sociedade – ou recuperar, como afirmam. A família patriarcal é representada sempre como uma parte central das tradições da nação, diminuída, mesmo recentemente, pelo advento do liberalismo e do cosmopolitismo. Mas por que o patriarcado é tão central, do ponto de vista estratégico, para a política fascista?

Numa sociedade fascista, o líder da nação é análogo ao pai da família patriarcal tradicional. O líder é o pai da nação, e sua força e poder são a fonte de sua autoridade legal, assim como a força e o poder do pai da família no patriarcado supostamente são a fonte de sua suprema autoridade moral sobre seus filhos e esposa. O líder provê a nação, assim como na família tradicional o pai é o provedor. A autoridade do pai patriarcal deriva de sua força, e a força é o principal valor autoritário. Ao apresentar o passado da nação como um passado com uma estrutura familiar patriarcal, a política fascista conecta a nostalgia a uma estrutura autoritária hierárquica organizadora central, que encontra sua mais pura representação nessas normas.

Gregor Strasser era o chefe da propaganda nacional-socialista nazista do Reich na década de 1920, antes que o cargo fosse assumido por Joseph Goebbels. De acordo com Strasser, "para um homem, o serviço militar é a forma mais profunda e valiosa de participação – para a mulher, é a maternidade!".[3] Paula Siber, chefe em exercício da Associação de Mulheres Alemãs, num documento de 1933 criado para refletir a política oficial do Estado dos nacionais-socialistas para as mulheres, declara que "ser mulher significa ser mãe, significa afirmar com toda a força consciente da alma o valor de ser mãe e torná-lo uma lei vital... a mais alta vocação da mulher nacional-socialista não é somente ter filhos, mas conscientemente e com total devoção a seu papel e dever como mãe de criar filhos para seu povo".[4] Richard Grunberger, historiador britânico do nacional-socialismo, resume "o cerne do pensamento nazista sobre a questão das mulheres" como "um dogma de desigualdade entre os sexos tão imutável quanto aquele entre as raças".[5] A historiadora Charu Gupta, em seu artigo de 1991, "Politics of Gender: Women in Nazi Germany" [A política de gênero: Mulheres na Alemanha nazista], chega a argumentar que "a opressão das mulheres na Alemanha nazista, na verdade, representa o caso mais extremo de antifeminismo do século XX".[6]

***

Esses ideais de papéis de gênero estão definindo os movimentos políticos mais uma vez. Em 2015, o partido de direita da Polônia, o Partido da Lei e da Justiça (em polonês, Prawo i Sprawiedliwość, abreviado como PiS), ganhou uma maioria absoluta nas eleições legislativas da Polônia, tornando-se o partido dominante do país. O PiS, em sua atual encarnação, tem em seu centro um chamado para retornar às tradições sociais cristãs conservadoras da Polônia rural. A maioria de seus políticos abomina abertamente a homossexualidade. É anti-imigração, e a União Europeia condenou suas medidas mais antidemocráticas, como a criação de leis que permitem aos ministros do governo (que são membros do partido) o controle total da mídia estatal, concedendo-lhes o poder de demitir e contratar os chefes de radiodifusão das estações de rádio e televisão da Polônia. Mas internacionalmente é mais conhecido por seu extremismo na política de gênero. O aborto já estava proibido na Polônia, com exceções apenas para danos severos e irreversíveis ao feto, sérios riscos para a mãe, ou nos casos de estupro ou incesto. O novo projeto de lei proposto pelo PiS teria eliminado o estupro e o incesto como exceções à proibição do aborto, com encarceramento como penalidade para mulheres que buscam o procedimento. O projeto de lei não foi aprovado somente por causa de protestos e manifestações de mulheres nas ruas das cidades da Polônia.

Ideias semelhantes sobre gênero estão em ascensão no mundo inteiro, inclusive nos Estados Unidos, muitas vezes respaldadas na história. Andrew Auernheimer, chamado de Weev, é um conhecido neonazista que dirigiu o jornal on-line fascista *The Daily Stormer*, junto com Andrew Anglin. Em maio de 2017, ele publicou um artigo no *The Daily Stormer* intitulado "Just What Are Traditional Gender Roles?" [Quais são os papéis tradicionais de gênero?]. Nele, afirma que as mulheres eram tradicionalmente consideradas como propriedade em todas as culturas europeias, exceto pelas sociedades judaicas e alguns grupos ciganos, que eram matrilineares:

> É por isso que os judeus estavam tão interessados em atacar essas ideias, porque a passagem patrilinear da propriedade era inatamente ofensiva à sua cultura. A Europa só tem essa noção absurda de mulheres como entidades independentes por causa da subversão organizada por agentes do judaísmo.[7]

Segundo Weev, ecoando o nazismo do século XX, os papéis de gênero patriarcais são centrais para a história europeia, parte do "passado glorioso" da Europa branca.

Nos escritos de Weev, o passado não somente respalda os papéis tradicionais de gênero, mas separa grupos que supostamente aderem a esses papéis e aqueles que não. Da Alemanha nazista à história mais recente, essa distinção punitiva pode chegar ao ponto de genocídio. O movimento de poder hutu foi um movimento de supremacia étnica fascista que surgiu em Ruanda nos anos anteriores ao genocídio ruandês de 1994. Em 1990, o jornal pró-poder hutu, *Kangura*, publicou os Dez

Mandamentos Hutus. Os três primeiros relacionavam-se com gênero. O primeiro declarava traidor qualquer um que se casasse com uma mulher tutsi, manchando, assim, a pura linhagem hutu. O terceiro preconizava que as mulheres hutus assegurassem que seus maridos, irmãos e filhos não se casassem com mulheres tutsis. O segundo mandamento é:

> 2. Todo hutu deve saber que nossas filhas hutus são mais adequadas e escrupulosas em seu papel de mulher, esposa e mãe de família. Não são elas bonitas, boas secretárias e mais honestas?

Na ideologia do poder hutu, as mulheres hutus existem somente como esposas e mães, encarregadas da sagrada responsabilidade de garantir a pureza étnica hutu. Essa busca pela pureza étnica foi uma justificativa básica para matar os tutsis no genocídio de 1994.

Evidentemente, a linguagem de gênero e as referências aos papéis e valor especial das mulheres descambam, muitas vezes, para o discurso político, sem pensar muito em suas implicações. Nas eleições americanas de 2016, um vídeo mostrou o candidato republicano à presidência, Donald Trump, fazendo graves comentários depreciativos sobre as mulheres. Mitt Romney, candidato presidencial do Partido Republicano em 2012, disse que as observações de Trump "rebaixam nossas esposas e filhas". Paul Ryan, o presidente republicano da Câmara dos Representantes, disse: "As mulheres devem ser defendidas e reverenciadas, não objetificadas". Essas duas observações revelam uma ideologia patriarcal subjacente que é típica de grande parte da política do Partido Republicano dos EUA. Esses políticos poderiam simplesmente ter dado voz à descrição mais direta dos fatos, que é que os comentários de

Trump rebaixam metade de nossos concidadãos. Em vez disso, a observação de Romney, em linguagem que evoca aquela usada nos Dez Mandamentos Hutus, descreve as mulheres exclusivamente em termos de papéis tradicionalmente subordinados nas famílias, como "esposas e filhas", nem mesmo como irmãs. A caracterização de Paul Ryan das mulheres como objetos de "reverência", em vez de merecedoras do mesmo respeito, objetifica as mulheres na mesma frase que censura quem as objetifica.

A família patriarcal na política fascista está inserida numa narrativa maior sobre as tradições nacionais. O primeiro-ministro húngaro, Viktor Orbán, foi eleito para o cargo em 2010. Ele supervisionou a demolição das instituições liberais daquele país a serviço da criação do que Orbán descreve abertamente como um Estado não liberal. Em abril de 2011, Orbán supervisionou a introdução da Lei Fundamental da Hungria, a nova constituição da Hungria. O objetivo da Lei Fundamental é declarado logo no início, na Declaração Nacional, que começa elogiando a fundação do Estado húngaro por Santo Estêvão, que "há mil anos fez do nosso país uma parte da Europa cristã". A Declaração Nacional húngara continua expressando orgulho pelo fato de que "nosso povo defendeu a Europa ao longo dos séculos em uma série de lutas" (supostamente contra o Império Otomano muçulmano). Reconhece "o papel do cristianismo na preservação da nacionalidade" e compromete-se a "promover e salvaguardar nossa herança". A Declaração Nacional húngara termina prometendo cumprir uma "permanente necessidade de renovação espiritual e intelectual" e oferecer um caminho para que as novas gerações do país possam "fazer da Hungria um grande país novamente".

A primeira série de artigos da Lei Fundamental, "A Fundação", é classificada por letras. O Artigo L declara na íntegra:

(1) A Hungria protegerá a instituição do casamento como a união de um homem e uma mulher estabelecida por decisão voluntária, e a família como a base da sobrevivência da nação. Os laços familiares devem basear-se no casamento e/ou na relação entre pais e filhos.
(2) A Hungria deve incentivar o compromisso de ter filhos.
(3) A proteção das famílias será regulada por um ato cardinal.

A segunda série de artigos, "Liberdade e Responsabilidade", é classificada por algarismos romanos. O Artigo II proíbe o aborto.

A mensagem evidente é que o patriarcado é uma prática virtuosa do passado, cuja proteção em relação ao liberalismo deve ser consagrada na lei fundamental do país. Na política fascista, mitos de um passado patriarcal, ameaçados pela invasão de ideais liberais e tudo o que eles significam, atuam para criar uma sensação de pânico frente à perda do status hierárquico, tanto para homens quanto para a capacidade do grupo dominante de proteger sua pureza e status da invasão estrangeira.

***

Se um "retorno" a uma sociedade patriarcal solidifica uma hierarquia na política fascista, a fonte dessa hierarquia se aprofunda ainda mais no passado, chegando a Santo Estêvão no caso da Hungria. Num passado glorioso, membros da comunidade nacional ou étnica escolhida ocuparam seu lugar de direito no topo estabelecendo a pauta cultural e econômica para todos. Isso é estrategicamente vital. Podemos pensar na política fascista como uma política de hierarquia (por exemplo, nos Estados Unidos, a supremacia branca exige e pressupõe uma hierarquia perpétua), e para concretizar essa hierarquia, podemos pensar no deslocamento da realidade pelo poder. Se alguém consegue convencer uma população de que ela é legitimamente excepcional, que foi destinada, por natureza ou destino divino, a governar outras populações, essa população já foi convencida de uma mentira monstruosa.

O movimento nacional-socialista surgiu do movimento *Völkisch* [de "folclore", "popular"] alemão, cujos defensores buscavam um retorno às tradições de um mítico passado medieval alemão. Embora Adolf Hitler estivesse mais obcecado com certa visão da Grécia antiga como modelo para seu Reich, líderes nazistas como Alfred Rosenberg e Heinrich Himmler, este um dos membros mais poderosos do regime, eram fervorosos admiradores e promotores do pensamento *völkisch*. Bernard Mees escreve em *The Science of the Swastika* [A ciência da suástica], sua história de 2008 sobre a conexão entre os antigos estudos alemães e o nacional-socialismo:

> os escritores *völkisch* logo descobriram que a imagem dos antigos alemães poderia servir para fins práticos; o glorioso passado germânico poderia ser empregado como justificativa para os objetivos imperialistas do presente. O desejo de Hitler de dominar a Europa continental foi explicado nos periódicos nazistas no final da década de 1930 como mera realização do destino germânico, repetindo as migrações pré-históricas arianas e depois germânicas em todo o continente durante a antiguidade tardia.[8]

As táticas desenvolvidas por Rosenberg, Himmler e outros líderes nazistas inspiraram, desde então, a política fascista em outros países. Segundo os adeptos do movimento Hindutva na Índia, os hindus eram a população autóctone da Índia, vivendo de acordo com os costumes patriarcais e com estritas práticas sexuais puritanas até a chegada dos muçulmanos e, posteriormente, dos cristãos, que introduziram valores ocidentais decadentes. O movimento Hindutva fabricou uma versão de um passado mítico indiano com uma nação pura de hindus, para suplementar dramaticamente o que é considerado pelos estudiosos como a história real da Índia. O partido nacionalista dominante da Índia, o Bharatiya Janata Party (BJP), adotou a ideologia Hindutva como seu credo oficial e conquistou o poder no país usando uma retórica emocional que pedia um retorno a esse passado fictício, patriarcal, duramente conservador, étnica e religiosamente puro. O BJP é descendente do braço político-institucional do Rashtriya Swayamsevak Sangh (RSS), um partido nacionalista hindu de extrema direita que defendia a supressão de minorias não hindus. Nathuram Godse, o homem que assassinou Gandhi, era membro do RSS, assim como o atual primeiro-ministro indiano, Narendra Modi. O RSS foi explicitamente influenciado pelos movimentos políticos fascistas europeus, e seus principais políticos viviam elogiando Hitler e Mussolini no final das décadas de 1930 e 1940.

***

O objetivo estratégico dessas construções hierárquicas da história é deslocar a verdade, e a invenção de um passado glorioso inclui o apagamento de realidades inconvenientes. Enquanto a política fascista fetichiza o passado, nunca é o passado real que é fetichizado. Essas histórias inventadas também diminuem ou extinguem completamente os pecados passados da nação.

Os políticos fascistas costumam apresentar a história real de um país em termos conspiratórios, como uma narrativa forjada por elites liberais e cosmopolitas para vitimizar o povo da verdadeira "nação". Nos Estados Unidos, os monumentos confederados surgiram bem depois do fim da Guerra Civil como parte de uma história mitificada de um heroico passado do Sul, no qual os horrores da escravidão eram abrandados. O presidente Trump denunciou o esforço de ligar esse passado mitificado à escravidão como uma tentativa de vitimizar os americanos brancos por celebrarem sua "herança".

Apagar o passado real legitima a visão de uma nação do passado etnicamente pura e virtuosa. Parte da limpeza étnica da população rohingya em Mianmar é apagar todo e qualquer vestígio de sua existência física e histórica. De acordo com U Kyaw San Hla, um membro do ministério de segurança do estado de Rakhine, a pátria tradicional dos rohingyas: "Não existe um grupo étnico chamado rohingya. São notícias falsas".[9] Segundo relatório de outubro de 2017 do Alto Comissariado das Nações Unidas para os Direitos Humanos, as forças de segurança de Mianmar têm trabalhado para "apagar fisicamente todos os sinais de marcos memoráveis na geografia da paisagem e da memória rohingya, de modo que um retorno a suas terras revelaria apenas um terreno desolado e irreconhecível". O que era, antes de 2012, uma próspera comunidade multiétnica e multirreligiosa em certas áreas do estado de Rakhine, em Mianmar, foi totalmente alterada para apagar qualquer traço de uma população muçulmana.

A política fascista repudia qualquer momento sombrio do passado de uma nação. No início de 2018, o parlamento polonês aprovou uma lei que condena a insinuação de que a Polônia tenha responsabilidade em relação a qualquer das atrocidades cometidas em seu solo durante a ocupação nazista do país, inclusive os bem documentados pogroms da época. De acordo com a Rádio Polônia, "o artigo 55, cláusula 1, do projeto de lei declara que 'quem acusar, publicamente e contra os fatos, a nação polonesa, ou o Estado polonês, de ser responsável ou cúmplice dos crimes nazistas cometidos pelo Terceiro Reich alemão [...] ou outros crimes contra a paz e a humanidade, ou crimes de guerra, ou de outra forma diminuir grosseiramente seus verdadeiros perpetradores, estará sujeito a uma multa ou pena de prisão de até três anos'". O artigo 301 do código penal da Turquia proíbe "insultar a condição de turco", inclusive mencionar o genocídio armênio durante a Primeira Guerra Mundial. Essas tentativas de legislar o apagamento do passado de uma nação são características de regimes fascistas.

O Le Front National é o partido de extrema direita da França e o primeiro partido neofascista da Europa Ocidental a alcançar um sucesso eleitoral significativo. Seu líder original, Jean-Marie Le Pen, foi condenado por negação do Holocausto. O sucessor de Le Pen como líder do Le Front National é sua filha, Marine Le Pen, que terminou em segundo lugar nas eleições presidenciais francesas em 2017. O papel da polícia francesa em capturar judeus franceses para enviá-los a campos de concentração nazistas sob o governo de Vichy está bem documentado. Mas durante a campanha eleitoral de 2017, Marine Le Pen negou a cumplicidade francesa na captura de um grupo particularmente grande de judeus franceses, em que treze mil pessoas foram reunidas na pista de ciclismo Vélodrome d'Hiver e enviadas para campos de concentração nazistas. Numa entrevista de televisão em abril de 2017, ela disse: "Eu não acho que a França tenha sido responsável pelo Vel' d'Hiv... Eu acho que, de um modo geral, se houver responsáveis, são aqueles que estavam no poder na época. Não a França". Ela acrescentou que a cultura liberal dominante havia "ensinado aos nossos filhos que eles têm todos os motivos para criticar [o país] e a ver somente, talvez, os aspectos mais obscuros da nossa história. Então, quero que eles se sintam orgulhosos novamente de serem franceses".

Na Alemanha, onde as leis proíbem negações públicas semelhantes do Holocausto, o partido de extrema direita Alternativ für Deutschland (AfD) chocou o grande público alemão nas eleições de 2017 por se tornar o terceiro maior partido do parlamento alemão. Durante a campanha eleitoral, em setembro de 2017, um dos líderes do partido, Alexander Gauland, fez um discurso dizendo que "nenhum outro povo foi apresentado com um passado falso tão explicitamente quanto os alemães". Gauland pedia que "o passado fosse devolvido ao povo da Alemanha ", referindo-se a um passado em que os alemães eram livres para "orgulhar-se das realizações de nossos soldados nas duas guerras mundiais". Assim como os políticos do Partido Republicano dos EUA procuram aproveitar o ressentimento branco (e os votos) denunciando cuidadosa erudição histórica sobre a brutalidade da escravidão como uma forma de "vitimizar" os brancos americanos, especialmente do Sul, o AfD procura angariar votos reapresentando a detalhada história do passado nazista da Alemanha como uma forma de vitimização do povo alemão. Num discurso no início daquele ano em Dresden, um dos líderes do AfD, Björn Höcke, falou fervorosamente sobre a necessidade de "uma cultura de memória que nos ponha em contato, acima de tudo, com as grandes conquistas de nossos ancestrais".[10]

As observações de Höcke sobre "uma cultura de memória" são um eco perturbador daquelas do criador do mito da Alemanha nazista. Em 1936, o próprio Heinrich Himmler falou da mesma forma a respeito de favorecer realizações:

> Um povo vive feliz no presente e no futuro, desde que reconheça seu passado e a grandeza de seus ancestrais [...]. Queremos deixar claro para os nossos homens e para o povo alemão que não temos um passado de apenas mil anos, aproximadamente, que não éramos um povo bárbaro sem cultura própria e que precisava adquiri-la de outros. Queremos que nosso povo se sinta novamente orgulhoso da nossa história.[11]

Quando não inventa simplesmente um passado para utilizar como arma a emoção da nostalgia, a política fascista procede a uma escolha seletiva do passado, evitando qualquer coisa que diminua a adulação irrefletida da glória da nação.

***

Para debater honestamente o que nosso país deve fazer, que políticas deve adotar, precisamos de uma base comum de realidade, inclusive sobre nosso próprio passado. A história em uma democracia liberal deve ser fiel à norma da verdade, produzindo uma visão precisa do passado, em vez de uma história fornecida por razões políticas. A política fascista, ao contrário, geralmente contém uma demanda para mitificar o passado, criando uma versão do patrimônio nacional que é uma arma para ganhos políticos.

Se o indivíduo não está preocupado com políticos que buscam intencionalmente apagar qualquer memória histórica dolorosa, vale a pena conhecer a literatura da psicologia sobre memória coletiva. Em seu artigo de 2013, "Motivated to 'Forget': The Effects of In-Group Wrongdoing on Memory and Collective Guilt" [Motivado a "esquecer": Os efeitos de atos danosos intragrupais na memória e na culpa coletiva], Katie

Rotella e Jennifer Richeson apresentaram aos participantes americanos histórias sobre "o tratamento violento e opressivo dos índios americanos", enquadradas de duas maneiras: "Especificamente, os perpetradores da violência foram descritos ou como americanos primitivos (em grupo), ou como europeus que se estabeleceram no que se tornou a América (condição fora do grupo)".[12] O estudo mostrava que as pessoas são mais propensas a sofrer uma espécie de amnésia a respeito de malfeitos quando os perpetradores são caracterizados explicitamente como seus compatriotas. Quando os participantes americanos foram apresentados aos agentes da violência como americanos (em vez de europeus), eles tiveram uma memória significativamente pior para eventos históricos negativos, e "o que os participantes recordaram foi expressado mais negligentemente quando os perpetradores eram membros do grupo". O trabalho de Rotella e Richeson baseia-se num conjunto de trabalhos anteriores com resultados semelhantes.[13] Já existe uma forte tendência embutida no sentido de esquecer e minimizar os atos problemáticos cometidos por um membro do próprio grupo no passado. Mesmo que os políticos não fizessem nada para estimular essa atitude, os americanos minimizariam a história da escravização e do genocídio, os poloneses minimizariam uma história do antissemitismo e os cidadãos turcos estariam inclinados a negar atrocidades do passado cometidas contra os armênios. Ter políticos que exortam isso como política educacional oficial só põe lenha numa fogueira já estabelecida.

Líderes fascistas apelam à história para substituir o verdadeiro registro histórico por uma gloriosa substituição mítica que, em suas especificidades, pode servir a fins políticos e ao objetivo final de substituir os fatos pelo poder. O primeiro-ministro húngaro, Viktor Orbán, baseou-se na experiência da Hungria de combater a ocupação do Império Otomano nos séculos XVI e XVII para colocar o país no histórico papel de defensor da Europa cristã a fim de embasar a restrição aos refugiados de hoje.[14] Naturalmente, durante esse tempo, a Hungria era a fronteira entre um império liderado por muçulmanos e outro liderado por cristãos; mas a religião não desempenhou um papel tão importante nesses conflitos. (O Império Otomano, por exemplo, não exigiu a conversão de seus súditos cristãos.) A história mítica que Orbán conta tem plausibilidade suficiente para reduzir a natureza complexa do passado e respaldar seus objetivos.

Nos Estados Unidos, a história do Sul é continuamente mitificada para branquear a escravidão e foi utilizada para justificar a recusa em conceder direitos de voto a cidadãos negros americanos até um século após o fim da escravidão. A narrativa central na justificativa da recusa do Sul em conceder o voto aos negros é uma história falsa do período conhecido como Reconstrução, imediatamente após o fim da Guerra Civil, em 1865, quando os negros do Sul tiveram permissão para votar. Naquela época, os negros americanos eram maioria em alguns estados do Sul, como a Carolina do Sul, e por cerca de doze anos seus representantes tiveram voz poderosa em muitas legislaturas estaduais, chegando a ocupar posições no Congresso dos EUA. A reconstrução terminou quando os brancos do Sul promulgaram leis que tinham o efeito prático de proibir os cidadãos negros de votar. Os sulistas brancos propagaram o mito de que isso era necessário porque os cidadãos negros eram incapazes de se autogovernar; nas histórias divulgadas na época, a Reconstrução foi representada como uma época de corrupção política sem paralelos, com a estabilidade restaurada apenas quando os brancos tiveram novamente poder total.

A obra-prima de 1935 de W.E.B. Du Bois, *Black Reconstruction* [Reconstrução negra], é uma refutação decisiva da então história oficial da era da Reconstrução. Como mostra Du Bois, os brancos do Sul, com o conluio das elites do Norte, puseram fim à era da Reconstrução devido ao medo disseminado entre as classes abastadas de que cidadãos negros recém-emancipados se unissem aos brancos pobres para desenvolver um movimento trabalhista poderoso a fim de desafiar os interesses do capital. Du Bois mostra como a era da Reconstrução foi um tempo de governança justa, quando os legisladores negros não apenas não governavam por interesse próprio, mas se esforçavam para acomodar os medos de seus concidadãos brancos. Na época, *Black Reconstruction* foi totalmente ignorado pelos historiadores brancos; mas na década de 1960, a história que Du Bois conta ali se tornou amplamente reconhecida como fato.

Foi por razões políticas que historiadores acadêmicos promoveram conscientemente uma falsa história da Reconstrução. Eles usavam sua disciplina não para buscar a verdade, mas para tratar das feridas psíquicas dos americanos brancos decorrentes da Guerra Civil. Ao fornecer uma visão reconfortante da história que encobria as gritantes diferenças morais entre os estados, os historiadores justificavam a remoção das proteções mínimas de cidadania para cidadãos negros nos antigos estados pró-escravidão. O último capítulo de *Black Reconstruction* é intitulado "A propaganda da história". Nele, Du Bois denuncia duramente a prática de apelar aos ideais da erudição histórica, da verdade e da objetividade. Fazer isso, declara Du Bois, é minar a disciplina da história. Historiadores que apresentam uma falsa narrativa para obter ganhos políticos sob os preciosos ideais da verdade e da objetividade, segundo Du Bois, são culpados de transformar a história em *propaganda*.

2

PROPAGANDA

É difícil promover uma política que prejudicará um grande grupo de pessoas diretamente. O papel da propaganda política é ocultar os objetivos claramente problemáticos de políticos ou de movimentos políticos, mascarando-os com ideais amplamente aceitos. Uma perigosa e desestabilizadora guerra pelo poder torna-se uma guerra cujo objetivo é a estabilidade, ou uma guerra cujo objetivo é a liberdade. A propaganda política usa a linguagem dos ideais virtuosos para unir pessoas por trás de objetivos que, de outra forma, seriam questionáveis.

A "guerra ao crime" do presidente dos EUA Richard Nixon é um bom exemplo de mascaramento de metas problemáticas com as virtuosas. A historiadora de Harvard Elizabeth Hinton aborda essa tática em seu livro *From the War on Poverty to the War on Crime: The Making of Mass Incarceration in America* [Da guerra contra a pobreza à guerra contra o crime: A realização do encarceramento em massa na

América], usando anotações do diário do chefe de gabinete de Nixon, H.R. Haldeman: "Temos de encarar o fato de que todo o problema resume-se aos negros", disse Nixon, segundo Haldeman, numa nota de abril de 1969. "O segredo é divisar um sistema que reconheça isso, embora sem parecer fazê-lo". De uma maneira direta e sistemática, Nixon reconheceu que a política de controle do crime poderia efetivamente ocultar a intenção racista por trás dos programas domésticos de sua administração.[1] A retórica de Nixon de "lei e ordem" que se seguiu a essa conversa foi usada para ocultar uma pauta política racista, totalmente explícita dentro dos muros da Casa Branca.

***

Movimentos fascistas têm "drenado pântanos"* por gerações. Divulgar falsas acusações de corrupção enquanto se envolve em práticas corruptas é típico da política fascista, e as campanhas anticorrupção estão frequentemente no centro dos movimentos políticos fascistas. Políticos fascistas geralmente condenam a corrupção no Estado que querem assumir, o que é bizarro, uma vez que os próprios políticos fascistas são invariavelmente muito mais corruptos do que aqueles que eles procuram suplantar ou derrotar. Como o historiador Richard Grunberger escreve em seu livro *The 12-Year Reich* [O Reich de 12 anos]:

> Era uma situação paradoxal. Tendo incutido na consciência coletiva que democracia e corrupção

---

* A expressão inglesa "to drain a swamp" teve origem no processo de drenagem de pântanos americanos para combater o mosquito da malária, mas hoje é utilizada principalmente na política para se referir ao extermínio de algo danoso, como corrupção ou malversação de dinheiro público. (N.E.)

eram sinônimos, os nazistas começaram a construir um sistema governamental ao lado do qual os escândalos do regime de Weimar pareciam pequenas manchas no corpo político. A corrupção era, de fato, o princípio organizador central do Terceiro Reich, e, no entanto, muitos cidadãos não apenas ignoravam esse fato como, na verdade, consideravam os homens do novo regime como austeramente dedicados à probidade moral.[2]

***

Corrupção, para o político fascista, consiste na corrupção da pureza, e não da lei. Oficialmente, as denúncias de corrupção do político fascista soam como uma denúncia de corrupção política. Mas essa conversa pretende evocar a corrupção no sentido da usurpação da ordem tradicional.

Foram acusações fabricadas de corrupção que levaram ao fim da Reconstrução. Como W.E.B. Du Bois escreve em *Black Reconstruction*, "o centro da acusação de corrupção [...] era, na verdade, que os pobres estavam governando e taxando os ricos".[3] E, ao descrever a principal reivindicação retórica por trás da privação de direitos dos cidadãos negros, Du Bois escreve:

> O Sul, finalmente, de maneira quase unânime, apontou para o negro como a principal causa da corrupção sulista. Eles proferiram e reiteraram essa acusação até que se tornou história: que a causa da desonestidade durante a reconstrução foi o fato de que quatro milhões de trabalhadores negros sem direitos, após 250 anos de exploração, receberam o direito legal de

> ter alguma voz em seu próprio governo, nos tipos de bens que eles produziriam e no tipo de trabalho que fariam, e na distribuição da riqueza por eles criada.[4]

Para muitos americanos brancos, o presidente Obama deve ter sido corrupto, porque sua própria ocupação na Casa Branca era uma espécie de corrupção da ordem tradicional. Quando as mulheres alcançam posições de poder político geralmente reservadas para os homens, ou quando muçulmanos, negros, judeus, homossexuais ou "cosmopolitas" lucram ou até compartilham dos bens públicos de uma democracia, como assistência à saúde, isso é percebido como corrupção.[5] Os políticos fascistas sabem que seus partidários farão vista grossa à sua própria e verdadeira corrupção, já que, em seu caso, trata-se apenas de membros da nação escolhida pegando o que é deles por direito.

Mascarar a corrupção sob o disfarce de anticorrupção é uma estratégia marcante da propaganda fascista. Vladislav Surkov foi, basicamente, ministro da propaganda de Vladimir Putin por muitos anos. Em seu livro *Nothing Is True and Everything Is Possible: The Surreal Heart of the New Russia* [Nada é verdadeiro e tudo é possível: O cerne surreal da nova Rússia], o jornalista Peter Pomerantsev descreve o "sistema político em miniatura" de Surkov como *retórica democrática e intenção não democrática.*[6]

A intenção não democrática por trás da propaganda fascista é fundamental. Os Estados fascistas concentram-se em desarticular o Estado de direito, com o objetivo de substituí-lo pelos ditames de governantes individuais ou chefes de partido. É padrão na política fascista que as duras críticas a um poder judiciário independente ocorram na forma de acusações de parcialidade, um tipo de corrupção, críticas que, então, são usadas para substituir juízes independentes por aqueles que empregarão cinicamente a lei como um meio de proteger os interesses do partido no poder. A recente e rápida transição de certos Estados democráticos aparentemente bem-sucedidos, como a Hungria e a Polônia, para governos não democráticos tornou particularmente notável essa tática de enfraquecer o poder judiciário independente, já que ambos os países introduziram leis para substituir juízes independentes por partidários logo após os regimes antidemocráticos tomarem o poder. Oficialmente, a justificativa era que as práticas anteriores de neutralidade judicial eram uma máscara para o preconceito contra o partido governante.[7] Em nome de erradicar a corrupção e a suposta parcialidade, os políticos fascistas atacam e diminuem as instituições que, de outro modo, poderiam cercear seu poder.

***

Assim como a política fascista ataca o Estado de direito em nome do combate à corrupção, ela também pretende proteger a liberdade e as liberdades individuais. Mas essas liberdades dependem da opressão de alguns grupos. Em 5 de julho de 1852, o abolicionista e orador norte-americano Frederick Douglass proferiu um discurso de 4 de julho em homenagem ao Dia da Independência daquele ano. Douglass começa suas observações reconhecendo que o dia celebra a liberdade política:

> Isto, para o propósito desta celebração, é o 4 de julho. É o aniversário da sua independência nacional e da sua liberdade política. Isso, para vocês, é o que a Páscoa era para o povo emancipado de Deus.[8]

Douglass passa a primeira parte de seu discurso louvando o compromisso dos pais fundadores com a causa da liberdade e elogiando o dia como uma celebração do ideal de liberdade. Mas então, voltando ao momento presente, Douglass, que fora escravo, indaga:

> Arrastar um homem em grilhões para o grande templo iluminado da liberdade e convocá-lo para se juntar a vocês em alegres hinos era uma zombaria desumana e uma ironia sacrílega. Vocês pretendem zombar de mim, cidadãos, pedindo-me para falar hoje?[9]

Nesse famoso discurso, intitulado "What to the Slave is the Fourth of July?" [O que representa o 4 de julho para o escravo?], Douglass chama a atenção para a hipocrisia de um país que pratica a escravidão humana enquanto celebra o ideal de liberdade. Os americanos do século XIX, incluindo aqueles que viviam no Sul, consideravam sua terra um farol de liberdade. Como isso é possível, perguntou Douglass, quando ela foi construída pelo trabalho de africanos escravizados e de uma população nativa cujos direitos à terra, e muitas vezes os direitos à vida, foram completamente ignorados? A retórica da liberdade foi eficaz nessa situação por causa de uma crença generalizada de que a população nativa, bem como a população escrava importada da África, não eram recipientes adequados para os bens da liberdade. Eis uma ideologia fascista clássica, com uma hierarquia de valor entre as raças. A retórica da liberdade funcionou durante a Confederação ao vincular explicitamente as liberdades dos sulistas brancos à prática da escravidão. Quando os outros estão fazendo o trabalho para você, você é livre para fazer o que quiser, pelo menos superficialmente. A liberdade envolvida na vida de lazer do plantador do Sul estava intimamente ligada à doutrina da superioridade racial branca. Sob essas condições estruturais, a própria noção de liberdade no Sul foi baseada, em sua perversão, na prática da escravidão. Encontramos essa inversão em boa parte da retórica dos "direitos dos estados", uma expressão utilizada para defender da intervenção federal a liberdade dos estados norte-americanos no Sul. Mas a intervenção federal mais associada ao apelo pelos "direitos dos estados" é a eliminação da escravidão e, posteriormente, o surgimento das leis de Jim Crow, que restringem o direito de voto para os cidadãos negros. A liberdade que muitos brancos nos estados do Sul procuravam, reivindicando "direitos dos estados", era a liberdade de restringir as liberdades dos seus concidadãos negros.

Historicamente, os líderes fascistas muitas vezes chegaram ao poder através de eleições democráticas. Mas o compromisso com a liberdade, como por exemplo a liberdade inerente que há no direito de voto, tende a terminar com essa vitória. Em *Mein Kampf*, após criticar a democracia parlamentar, Hitler elogia "a verdadeira democracia germânica", com "livre escolha do líder, junto com a obrigação deste de assumir inteira responsabilidade por tudo o que faz e faz com que seja feito". O que Hitler descreve aqui é o governo absoluto de um líder, após uma votação democrática inicial. Não há, na descrição de Hitler do que ele chama de "verdadeira democracia germânica", qualquer indício de que o líder deva se submeter a uma eleição subsequente. (Hitler, aqui, também se inspira no passado mítico, quando os reis medievais alemães eram eleitos para sempre.[10]) Qualquer que seja esse sistema, ele não é reconhecidamente uma democracia.

No uso feito pela Confederação do conceito de liberdade para defender a prática da escravidão, no apelo dos estados do

Sul por "direitos dos estados" para defender a escravidão e na apresentação de Hitler do governo ditatorial como democracia, ideais liberais democráticos são usados como uma máscara para minar a si mesmos. Em cada um podemos encontrar argumentos ilusórios de que o objetivo antiliberal é, na verdade, uma realização do ideal liberal. No caso da Confederação e do Sul dos EUA de Jim Crow, o argumento era que os "direitos dos estados", uma manifestação do ideal liberal de autodeterminação, permitiam a prática da subordinação racial, já que essa era uma escolha feita por cada estado. Hitler argumenta que "a verdadeira democracia germânica", ou seja, a ditadura exercida por um único indivíduo, é uma democracia genuína porque somente em tal sistema existe a legítima responsabilidade individual pelas decisões políticas, já que o poder de tomar essas decisões está vinculado a uma única pessoa, e já que a responsabilidade individual é uma noção liberal por excelência.

***

No livro 8 de *A república* de Platão, Sócrates argumenta que as pessoas não são naturalmente levadas ao autogoverno, mas buscam um líder forte para seguir. A democracia, ao permitir a liberdade de expressão, abre espaço para que um demagogo explore a necessidade que o povo tem de um homem forte; o homem forte usará essa liberdade para se aproveitar dos ressentimentos e medos das pessoas. Uma vez que o homem forte toma o poder, ele acaba com a democracia, substituindo-a por tirania. Em suma, o livro 8 de *A república* afirma que a democracia é um sistema autodestrutivo, cujos ideais levam à sua própria morte.

Os fascistas sempre estiveram familiarizados com essa receita de usar as liberdades da democracia contra ela mesma.

O ministro da propaganda nazista, Joseph Goebbels, declarou certa vez: "Essa será sempre uma das melhores piadas da democracia, que ela deu a seus inimigos mortais os meios pelos quais foi destruída". Hoje não é diferente do passado. Mais uma vez, encontramos os inimigos da democracia liberal empregando essa estratégia, levando a liberdade de expressão aos seus limites e, por fim, utilizando-a para subverter o discurso dos outros.

Desiree Fairooz é uma ex-bibliotecária e ativista que esteve presente na audiência de confirmação do procurador-geral americano Jeff Sessions. Sessions é um ex-senador do Alabama cuja nomeação para a bancada federal foi rejeitada pelo Senado dos EUA em 1986 por acusações de ultradireitismo, sobretudo racismo (como senador, Sessions ficou conhecido por disseminar o pânico sobre a imigração). Quando o senador Richard Shelby, do Alabama, declarou que Sessions tinha um "histórico bem-documentado de tratar todos os americanos igualmente sob a lei", Fairooz riu. Ela foi imediatamente presa e acusada de conduta desordeira. O Departamento de Justiça, liderado por Sessions, apresentou acusações contra ela. Depois que um juiz indeferiu as acusações no verão de 2017, alegando que o riso é permitido em discursos, o Departamento de Justiça de Sessions decidiu, em setembro de 2017, continuar a fazer acusações contra ela; só em novembro daquele ano é que o Departamento de Justiça abandonou a intenção de julgar Fairooz por rir. Jeff Sessions, procurador-geral dos EUA, não pode ser considerado um defensor da liberdade de expressão. No entanto, no mesmo mês em que seu Departamento de Justiça estava novamente tentando incriminar um cidadão americano por rir, Sessions proferiu um discurso na Faculdade de Direito de Georgetown criticando os campi universitários por não cumprirem o compromisso de liberdade de expressão devido à suposição de que a academia desencoraja vozes de direita. Ele pediu um "novo compromisso nacional em prol da liberdade de expressão e da Primeira Emenda" (na semana que Sessions fez esse discurso, os noticiários só falavam do apelo do presidente Trump para que os donos das equipes da Liga Nacional de Futebol Americano demitissem os jogadores que se ajoelhassem durante o hino nacional para protestar contra o racismo, um exercício dos direitos da Primeira Emenda, se é que alguma vez houve algum direito).

A política dos Estados Unidos foi recentemente dominada pela retórica pró-liberdade por parte de nacionalistas de extrema direita. As manifestações pró-Trump de Portland, no estado de Oregon, são chamadas de "Trump Free Speech Rallies" [Manifestações pela liberdade de expressão de Trump]. Em maio de 2017, a cidade foi palco de um ato terrorista nacionalista particularmente brutal. Jeremy Joseph Christian, nacionalista de extrema direita de 35 anos de idade, teria esfaqueado três pessoas que tentaram intervir quando ele berrava insultos antimuçulmanos para duas jovens. Duas das vítimas do esfaqueamento morreram. Ao entrar no tribunal para ser julgado, Christian gritou:

> Liberdade de expressão ou morte, Portland! Não existe lugar seguro. Isto é a América. Saia se você não gosta de liberdade de expressão. Você chama isso de terrorismo, eu chamo de patriotismo.[11]

A principal razão de termos liberdade de expressão na democracia é para facilitar o discurso público sobre políticas por parte dos cidadãos e seus representantes. Mas o tipo de debate em que um grita insultos para o outro, sem falar nos casos que envolvem violência física e posterior denúncia ao protesto como um ataque ao discurso, não é o tipo relevante de discurso público que os direitos de liberdade de expressão devem proteger. O tipo de discurso que Jeremy Joseph Christian desejava promover destrói a possibilidade de um discurso público, em vez de propiciar meios para tal.

É comum observar, e com razão, que o fascismo eleva o irracional sobre o racional, a emoção fanática sobre o intelecto. É menos comum notar, entretanto, que o fascismo realiza essa elevação indiretamente, isto é, com propaganda. "The Rhetoric of Hitler's 'Battle'" [A retórica da "batalha" de Hitler] é um ensaio de 1939 do teórico literário americano Kenneth Burke. Nele, Burke descreve como Hitler, em *Mein Kampf*, descreve repetidamente sua luta para abraçar os ideais nacional-socialistas como a percepção de que a vida é uma batalha pelo poder entre grupos na qual a razão e a objetividade não têm papel; sua percepção de que os humanos são animais e sua rejeição ao Iluminismo, *impulsionado* pela razão. Burke escreve: "Aqueles que atacam o hitlerismo como um culto ao irracional devem emendar suas declarações no seguinte sentido: irracional é, de fato, mas realizado sob o *slogan* da 'Razão'". Os fascistas rejeitam os ideais do Iluminismo, embora declarem que são forçados a fazê-lo por um forte confronto com a realidade, pela lei natural. Como observa Burke, Hitler descreve sua transição a um "antissemita fanático" como "uma luta de 'razão' e 'realidade' contra seu 'coração'". O fascista afirma ter sido guiado pela razão científica à visão de que a vida é uma luta impiedosa por domínio, luta em que a própria força que supostamente o levou a tal visão – o ideal iluminista da razão universal – deve ser abandonada.

3

ANTI-INTELECTUALISMO

A política fascista procura minar o discurso público atacando e desvalorizando a educação, a especialização e a linguagem. É impossível haver um debate inteligente sem uma educação que dê acesso a diferentes perspectivas, sem respeito pela especialização quando se esgota o próprio conhecimento e sem uma linguagem rica o suficiente para descrever com precisão a realidade. Quando a educação, a especialização e as distinções linguísticas são solapadas, restam somente poder e identidade tribal.

Isso não significa que não haja um papel para as universidades na política fascista. Na ideologia fascista, há apenas um ponto de vista legítimo: o da nação dominante. As escolas apresentam aos alunos a cultura dominante e seu passado mítico. A educação, portanto, representa uma grave ameaça ao fascismo ou se torna um pilar de apoio para a nação mítica. Não é de se espantar, então, que os protestos e confrontos culturais nos campi universitários representem um verdadeiro campo de batalha político e recebam atenção nacional. Há muita coisa em jogo.

***

Nos últimos cinquenta anos, pelo menos, as universidades têm sido o epicentro de protestos contra a injustiça e o excesso de autoridade. Considere, por exemplo, o papel único das universidades no movimento antiguerra da década de 1960. Onde o discurso é um direito, os propagandistas não podem atacar a dissidência de frente. Em vez disso, eles precisam representá-la como algo violento e opressivo (um protesto, portanto, vira "baderna"). Em 2015, o movimento Black Lives Matter [As vidas negras são importantes] nos Estados Unidos, protestando contra a brutalidade policial e a desigualdade racial, se espalhou para os campi universitários. Como o Black Lives Matter começou em Ferguson, no estado do Missouri, não é de se surpreender que o primeiro campus em que ele atuou tenha sido a Universidade do Missouri. Concerned Student 1950 [Aluno preocupado 1950] foi o nome do movimento estudantil do Missouri, evocando o ano em que a Universidade do Missouri foi dessegregada. Entre seus objetivos estava o de abordar os incidentes de abuso racial que os estudantes negros enfrentavam com frequência, assim como rever os currículos que representavam a cultura e a civilização como o produto apenas dos homens brancos. A mídia ignorou essas motivações e, apresentando os estudantes negros como uma multidão enfurecida, usou a situação como uma oportunidade para fomentar o ódio contra os supostos excessos políticos liberais da universidade.

A política fascista busca solapar a credibilidade das instituições que abrigam vozes independentes de dissensão até que elas possam ser substituídas pela mídia e por universidades que rejeitam essas vozes. Um método típico é nivelar as acusações de hipocrisia. No momento, uma campanha de direita contemporânea está acusando as universidades de hipocrisia quanto à questão da liberdade de expressão. As universidades, dizem eles, afirmam valorizar a liberdade de expressão acima de tudo, mas abafam quaisquer vozes que não se inclinem para a esquerda, permitindo protestos contra essas vozes no campus. Mais recentemente, críticos dos movimentos de justiça social do campus descobriram um método eficaz de se transformarem nas vítimas do protesto. Eles alegam que os manifestantes pretendem negar-lhes sua própria liberdade de expressão.

Essas acusações chegam à sala de aula. David Horowitz é um ativista de extrema direita que tem como alvo as universidades e a indústria cinematográfica desde a década de 1980. Em 2006, Horowitz publicou um livro, *The Professors* [Os professores], apresentando os "101 professores mais perigosos da América" (que é o subtítulo do livro), uma lista de professores esquerdistas e liberais, muitos dos quais eram defensores dos direitos palestinos. Em 2009, ele publicou outro livro, *One-Party Classroom* [Sala de aula totalitária], com uma lista dos "150 cursos mais perigosos da América".

Horowitz criou inúmeras organizações para promover suas ideias. Na década de 1990, Horowitz criou a Individual Rights Foundation, que, de acordo com a conservadora Young America's Foundation, "liderou a batalha contra os códigos de linguagem nos campi universitários". Em 1992, fundou o tabloide mensal *Heterodoxy*, que, segundo o Southern Poverty Law Center, "tinha como alvo estudantes universitários que Horowitz via como doutrinados pela esquerda entrincheirada na academia americana". Horowitz também é responsável pela campanha Students for Academic Freedom [Alunos em prol da liberdade acadêmica], que, ao ser lançada, em 2003, foi chamada de Campaign for Fairness and Inclusion in Higher Education [Campanha pela justiça e inclusão no ensino superior]. O objetivo da Students for Academic Freedom é promover a contratação de professores com visões de mundo conservadoras, uma iniciativa divulgada como um meio de promover a "diversidade intelectual e a liberdade acadêmica nas faculdades e universidades americanas", de acordo com a Young America's Foundation. Nas últimas décadas, Horowitz era uma figura marginal na extrema direita americana. Mais recentemente, suas táticas e objetivos, e até mesmo sua retórica, se popularizaram, entrando na corrente dominante, onde os ataques ao "politicamente correto" nos campi são agora comuns.

O governo Trump tem seguido agressivamente o programa de Horowitz. O adjunto do procurador-geral do Departamento de Justiça dos EUA, Jesse Panuccio, iniciou um discurso na Northwestern University em 26 de janeiro de 2018, declarando a liberdade de expressão no campus como "um tópico de vital importância, que, como vocês devem saber, o procurador-geral dos Estados Unidos, Jeff Sessions, transformou em prioridade para o Departamento de Justiça. É uma prioridade porque, em nossa opinião, muitos campi em todo o país estão deixando de proteger e promover a liberdade de expressão".

A campanha presidencial de Trump às vezes é descrita como um longo ataque ao "politicamente correto".[1] Não é por acaso que a retórica da administração Trump, em particular seus ataques ao "politicamente correto" e seu uso da retórica da liberdade de expressão, se sobreponha aos pontos de discussão de algumas instituições bem financiadas que surgiram para atacar e deslegitimar universidades como bastiões do liberalismo. Existem ligações entre a principal organização de Horowitz, o David Horowitz Freedom Center (DHFC), e a administração de Trump, especialmente com seus membros na extrema direita. De acordo com uma investigação do *Washington Post* publicada em junho de 2017, o DHFC tem apoiado agentes políticos cujo objetivo tem sido desestabilizar a política de Washington, inclinando-a para a extrema direita, incluindo o procurador-geral Jeff Sessions, o conselheiro sênior Stephen Miller e Stephen Bannon.[2] Segundo o artigo, em 14 de dezembro de 2016, "Horowitz expressou felicidade pela vitória de Trump e disse que os republicanos finalmente acordaram para sua abordagem política", denunciando os esquerdistas como inimigos da liberdade de expressão.

Horowitz conta com pelo menos onze membros da administração Trump como apoiadores do DHFC, incluindo o vice-presidente Mike Pence, Sessions, Bannon e Miller, que Horowitz legitimamente descreve como "uma espécie de pupilo meu" (o artigo documenta o longo apoio de Horowitz à carreira de Miller). O DHFC esteve profundamente envolvido nas carreiras de altos funcionários administrativos de Trump por muitos anos e, de acordo com a investigação do *Post*, há muito tempo que serve como uma espécie de local de encontro informal para os membros do governo que são da extrema direita.

Os ataques de liberdade de expressão de Horowitz às universidades carecem de legitimidade. Dadas as proteções formais da liberdade acadêmica, as universidades dos Estados Unidos abrigam o território de expressão mais livre de qualquer local de trabalho. Em locais de trabalho privados nos Estados Unidos, a liberdade de expressão é uma fantasia. Os trabalhadores são frequentemente submetidos a acordos de confidencialidade, o que os proíbe de falar sobre diversos assuntos. Na maioria dos locais de trabalho, os funcionários podem ser demitidos por discursos políticos nas mídias sociais. Atacar os únicos locais de trabalho num país que oferecem proteções genuínas de liberdade de expressão usando o ideal da liberdade de expressão é outro exemplo da familiar natureza orwelliana da propaganda política.

Em janeiro de 2017, Rick Brattin, representante do estado do Missouri, emendou um projeto de lei que ele havia apresentado anteriormente à legislatura estadual para proibir a contratação permanente de professores em todas as universidades públicas do Missouri. Depois de chamá-la de "antiamericana" em entrevista ao *The Chronicle of Higher Education*, Brattin acrescentou: "Algo está errado, algo se quebrou. Um professor encarregado de educar nossos filhos deveria se concentrar em fazer com que eles construam um futuro melhor, mas, em vez disso, eles se envolvem em assuntos políticos nos quais não deveriam estar envolvidos. Como têm estabilidade, eles se sentem autorizados a essa conduta. Mas isso está errado".[3] Quando perguntaram a Brattin se ele estava preocupado com o fato de que o fim da contratação permanente prejudicaria a liberdade acadêmica e levaria os professores a perder seus empregos por razões políticas, ele respondeu perguntando em que outras profissões as pessoas têm essa liberdade e por que o mundo acadêmico deveria ser um caso especial. O trabalho que os pesquisadores produzem pode ter implicações políticas, dependendo do campo. Ataques da direita deixam claro o desejo dessa mesma direita de controlar linhas de investigação aceitáveis. No clássico estilo da propaganda demagógica, a tática de atacar instituições que defendem a razão pública e o debate aberto ocorre sob o manto desses mesmos ideais.

***

Dentro das universidades, os políticos fascistas visam professores que consideram demasiadamente politizados, geralmente demasiado marxistas, e denunciam áreas inteiras de estudo. Quando movimentos fascistas estão em curso em estados democráticos liberais, certas disciplinas acadêmicas recebem destaque. Os estudos de gênero, por exemplo, são criticados por movimentos nacionalistas de extrema direita em todo o mundo. Os professores dessas áreas são acusados de desrespeitarem as tradições da nação.

Sempre que o fascismo ameaça, seus representantes e facilitadores denunciam as universidades e escolas como fontes de "doutrinação marxista", o bicho-papão clássico da política fascista. Usada normalmente sem qualquer conexão com Marx ou com o marxismo, a expressão é empregada na política fascista como uma maneira de difamar a igualdade. É por isso que as universidades que buscam dar algum espaço intelectual às perspectivas marginalizadas, ainda que pequeno, estão sujeitas à denúncia de focos de "marxismo". O fascismo consiste na perspectiva dominante, e, assim, durante momentos fascistas, há um forte apoio no sentido de que se denunciem disciplinas que ensinam perspectivas diferentes das dominantes, como estudos de gênero ou, nos Estados Unidos, estudos afro-americanos ou estudos do Oriente Médio. A perspectiva dominante é muitas vezes deturpada, sendo apresentada como a verdade, a "história real", e qualquer tentativa de permitir um espaço para perspectivas alternativas é ridicularizada como "marxismo cultural".

A oposição fascista aos estudos de gênero, em particular, vem de sua ideologia patriarcal. O nacional-socialismo tinha como alvo movimentos feministas e o feminismo em geral.

Para os nazistas, o feminismo era uma conspiração judaica para destruir a fertilidade entre as mulheres arianas. Charu Gupta resume bem a atitude nazista em relação aos movimentos feministas:

> [Os nazistas] acreditavam que o movimento das mulheres fazia parte de uma conspiração judaica internacional para subverter a família alemã e, assim, destruir a raça alemã. O movimento, alegavam, encorajava as mulheres a afirmar sua independência econômica e a negligenciar sua tarefa de produzir filhos. Difundia as doutrinas femininas de pacifismo, democracia e "materialismo". Ao incentivar a contracepção e o aborto para diminuir o índice de natalidade, atacava a própria existência do povo alemão.[4]

Nos ataques fascistas às universidades, as universidades desempenham o papel da "conspiração judaica" vista pelos nazistas por trás do movimento das mulheres. As universidades subvertem a masculinidade e minam a família tradicional, apoiando estudos de gênero.

Na Rússia, Vladimir Putin partiu para a ofensiva sobre essa questão, reorientando as universidades para funcionarem como armas ideológicas dirigidas contra os supostos excessos ocidentais do feminismo. Em seu livro de 2017, *The Future Is History: How Totalitarianism Reclaimed Russia* [O futuro é história: como o totalitarismo recuperou a Rússia], a jornalista Masha Gessen conta como o programa universitário antifeminista e antigay da Rússia emergiu de uma conferência de 1997 em Praga, chamada Congresso Mundial das Famílias, organizada por Allan Carlson, um historiador americano do "ultraconservador Hillsdale College, em Michigan".

A conferência teve um grande número de comparecentes. Gessen escreve: "Inspirados pelo enorme comparecimento, os organizadores transformaram o Congresso Mundial das Famílias numa organização permanente dedicada à luta contra os direitos dos homossexuais, contra o direito ao aborto e contra estudos de gênero".[5]

Como um exemplo de políticas inspiradas na conferência, o governo russo perseguiu a Universidade Europeia de São Petersburgo por suas inclinações liberais. Durante anos as autoridades russas tentaram fechá-la e finalmente conseguiram em 2016, quando sua licença como instituição de ensino foi suspensa. De acordo com a universidade, "as inspeções foram instigadas por uma queixa oficial de Vitaly Milonov", membro do parlamento russo do Partido Rússia Unida, de Vladimir Putin, responsável por algumas leis antigays extremas da Rússia. Milonov expressou preocupação com o ensino de estudos de gênero na universidade. "Pessoalmente, acho nojento. São estudos falsos, e pode ser ilegal", disse Milonov à *Christian Science Monitor*.[6] Na Hungria e na Polônia, os estudos de gênero também têm sido um ponto de controvérsia política, atraindo a ira de líderes políticos que procuram pintar as universidades como bastiões da doutrinação liberal. Como Andrea Pető relata em seu estudo "Report from the Trenches: Debate Around Teaching Gender Studies in Hungary" [Relatório das trincheiras: Debate em torno do ensino de estudos de gênero na Hungria], o subsecretário do Ministério Húngaro de Recursos Humanos, Bence Rétvári, comparou os estudos de gênero ao marxismo-leninismo (novamente, o bicho-papão de sempre dos regimes fascistas).

Como na Rússia e na Europa Oriental, atacar os estudos de gênero é uma parte explícita do movimento de extrema direita dos Estados Unidos. Em 2010, a Assembleia Legislativa da Carolina do Norte foi tomada pelos republicanos afiliados ao movimento de extrema direita Tea Party. Junto com o governador republicano, Pat McCrory, eles foram atrás da ilustre instituição Universidade da Carolina do Norte. Um recém-nomeado Conselho de Regentes da universidade demitiu seu estimado e progressista presidente, Tom Ross. O governador McCrory disse numa entrevista que as universidades públicas não deveriam ministrar cursos de "estudos de gênero ou suaíle" (o suaíle é uma língua africana falada por 140 milhões de pessoas como primeira ou segunda língua). McCrory acrescentou: "Se você quiser fazer estudos de gênero, tudo bem, vá para uma escola particular e faça".

Alguns argumentarão que uma universidade deve ter representantes de *todas* as posições e que mudanças como as efetuadas na Carolina do Norte apenas abrem espaço para perspectivas opostas. Esses argumentos baseiam-se no fato de que para estarmos seguros de nossas próprias posições é preciso nos debatermos frequentemente com posições opostas (e na suposição de que antes não havia espaço para posições opostas). Qualquer um que tenha ensinado filosofia sabe que muitas vezes é útil confrontar defesas convincentes de posições opostas, e as universidades inquestionavelmente se beneficiam de proponentes de posições inteligentes e sofisticadas ao longo do espectro político. No entanto, o princípio geral nestes casos não é, após reflexão, particularmente plausível.

Ninguém acha que a liberdade de investigação exija a inclusão, nas faculdades universitárias, de pesquisadores que busquem demonstrar que a Terra é plana. Tal posição é infrutífera, conforme determinamos por meio de investigação científica conclusiva. Mesmo o mais convicto defensor da liberdade de expressão não afirma que devemos gastar preciosos recursos universitários nessa questão. Adicionar alguém que diz que a Terra é plana impediria a investigação objetiva. Da mesma forma, posso rejeitar a ideologia do Estado Islâmico de maneira segura e justificada sem ter de confrontar seus defensores na sala de aula ou na sala dos professores. Não preciso ter um colega que defende a visão de que o povo judeu é geneticamente predisposto à ganância para, justificadamente, rejeitar esse absurdo antissemita. Nem é remotamente plausível que a inclusão dessas vozes ao corpo docente da faculdade fosse ajudar a argumentar contra essas ideologias tóxicas. O mais provável é que isso prejudicasse o debate inteligente, levando a falhas de comunicação e discussões aos gritos.

A política fascista, no entanto, abre espaço para o estudo dos mitos como um fato. Na ideologia fascista, a função do sistema educacional é glorificar o passado mítico, elevando as conquistas dos membros da nação e obscurecendo as perspectivas e as histórias daqueles que lhe são estranhos. Num processo às vezes chamado tendenciosamente de "descolonização" do currículo, as perspectivas historicamente negligenciadas são incorporadas, garantindo, assim, que os alunos tenham uma visão completa dos atores da história. Na luta contra o fascismo, ajustar o currículo dessa maneira não é mera questão de fazer o que é "politicamente correto". Representar as vozes de todos aqueles cuja existência moldou e formou o mundo em que vivemos proporciona um meio essencial de proteção contra o mito fascista.

***

Na ideologia fascista, o objetivo da educação geral nas escolas e universidades é incutir orgulho do passado mítico. A educação fascista exalta disciplinas acadêmicas que reforçam as normas hierárquicas e a tradição nacional. Para os fascistas, as escolas e universidades existem para doutrinar o orgulho nacional ou racial, transmitindo, por exemplo (onde o nacionalismo é racializado), as gloriosas conquistas da raça dominante.

O governador McCrory não parou com a sugestão de que alguns cursos deveriam ser removidos do currículo público. Ele também pediu à universidade que se concentrasse mais no tipo de educação baseada em habilidades, de que os empregadores supostamente precisam, em detrimento de assuntos como sociologia, que ajuda os estudantes a se tornarem melhores cidadãos democráticos. Ele foi apoiado pelo Pope Center for Higher Education Policy, administrado e fundado por Art Pope, riquíssimo e poderoso doador republicano da Carolina do Norte, que instou com sucesso a Universidade da Carolina do Norte a aumentar suas mensalidades. Como Pope reconhece incisivamente, essa medida afastará mais estudantes das ciências humanas e sociais, aproximando-os dos cursos superiores que lhes darão "habilidades de negócios".

Ao mesmo tempo em que denigre temas de ensino que permitiriam uma maior compreensão da diversidade cultural humana, Pope Center for Higher Education Policy (agora conhecido como The James G. Martin Center for Academic Renewal) incentiva o ensino de um currículo de "Grandes Livros", que enfatiza as realizações culturais dos europeus brancos.[7] As prioridades aqui fazem sentido quando se percebe que nos sistemas antidemocráticos a função da educação é produzir cidadãos obedientes estruturalmente obrigados a entrar na força de trabalho sem poder de barganha, e ideologicamente treinados para pensar que o grupo dominante representa as maiores forças civilizatórias da história. Figuras conservadoras despejam enormes quantias no projeto de promover os objetivos de direita na educação. Por exemplo, em 2017, a Charles Koch Foundation, apenas uma das fundações conservadoras dos Estados Unidos fundada por oligarcas de direita, gastou 100 milhões de dólares para apoiar projetos amplamente dedicados à ideologia conservadora em cerca de 350 faculdades e universidades, segundo algumas fontes.[8]

Na ideologia fascista, os produtos da vida intelectual que ela sustenta – cultura, civilização e arte – são somente produções de membros da nação escolhida. Quando as universidades restringem as disciplinas obrigatórias aos critérios culturais europeus, correm o risco de sugerir que os europeus brancos constituem o núcleo da civilização humana. Deveria dar o que pensar a fãs de tais currículos de "Grandes Livros" o fato de Hitler declarar em *Mein Kampf* que "tudo o que admiramos nesta terra – ciência, arte, habilidade técnica e invenção – é o produto criativo de apenas um pequeno número de nações [...]. Toda essa cultura depende delas para sua própria existência [...]. Se dividirmos a raça humana em três categorias – fundadores, mantenedores e destruidores de cultura –, só o grupo ariano pode ser considerado representante da primeira categoria". Nossas universidades não devem ser cúmplices, mesmo inconscientemente, na promulgação de tais mitos fascistas.

Ao longo do tempo e do espaço, à medida que o fascismo se ergue, também aparecem figuras pedindo que se guarneçam as escolas e universidades com professores mais simpáticos aos ideais nacionalistas ou tradicionalistas. O que vem acontecendo na Hungria é um exemplo clássico. Quando assumiu o poder, Viktor Orbán condenou as escolas como locais de doutrinação liberal. Ele nacionalizou o sistema escolar, que anteriormente estava sob o controle do conselho escolar local, e introduziu uma organização profissional a que todos os professores tinham que aderir, o que os obrigava a servir "no interesse da nação". Um novo currículo nacional recomendava o trabalho de escritores húngaros antissemitas. As escolas foram instruídas a encorajar atividades que evocassem um glorioso e mítico passado nacional húngaro, como passeios a cavalo e o aprendizado de canções folclóricas húngaras.

A melhor universidade da Hungria é a Universidade Centro-Europeia (CEU), que mantém a independência do Estado húngaro. Orbán apresenta a CEU como uma instituição estrangeira que busca deslocar escolas húngaras locais, disseminando valores universalistas liberais, como o sentimento pró-imigração. Em abril de 2017, o parlamento húngaro incrementou um projeto de lei anti-imigração que busca tirar da CEU sua capacidade de operar como uma universidade americana na Hungria e regular o movimento de seus professores e alunos por razões de segurança nacional. Como consequência, a CEU pode fechar suas portas na Hungria.

Esforços semelhantes para moldar os currículos a fins nacionalistas estão em andamento em todo o mundo, inclusive na Turquia, onde uma das primeiras ações que o presidente Recep Tayyip Erdoğan empreendeu após a tentativa de golpe contra ele em 2016 foi demitir mais de cinco mil reitores e acadêmicos de seus cargos em universidades turcas, por suspeita de sentimentos pró-democráticos ou pró-esquerdistas. Muitos também foram presos. Em entrevista ao programa de rádio "Voice of America" para uma reportagem de fevereiro de 2017, İsmet Akça, professor de ciências políticas que foi removido de seu cargo na Universidade Técnica Yildiz de Istambul, disse: "Essas pessoas que estão sendo expurgadas não são apenas pessoas democráticas de tendências esquerdistas, mas muito bons cientistas, muito bons acadêmicos. Ao expurgá-los, o governo também está atacando a própria ideia de ensino superior, a própria ideia de universidade neste país".[9] Em 2017, após vencer um referendo nacional que lhe deu novos poderes, quase ditatoriais, Erdoğan apresentou um novo currículo educacional para as escolas. Seu objetivo era reduzir a ênfase em ideais seculares e eliminar teorias científicas que contrariam a ideologia religiosa, como a evolução. O Ministério da Educação declarou que a história da Turquia seria ensinada "da perspectiva de uma educação nacional e moral", com o objetivo de proteger "valores nacionais", em vez de refletir os ideais liberais seculares que estiveram no centro da sociedade civil turca, incluindo seu sistema educacional, desde Kemal Atatürk.

***

O radialista norte-americano de extrema direita Rush Limbaugh denunciou, em seu popular programa de rádio, "os quatro cantos do engano: governo, academia, ciência e mídia. Essas instituições são agora corruptas e existem em virtude do engano. É assim que elas se promovem; é assim que elas prosperam".[10] Limbaugh, aqui, fornece um exemplo perfeito de como a política fascista atinge a *expertise*, zombando dela e desvalorizando-a. Na democracia liberal, os líderes políticos devem consultar aqueles que eles representam, assim como especialistas e cientistas que possam explicar com mais exatidão as demandas da realidade sobre as políticas.

Os líderes fascistas são, em vez disso, "homens de ação" sem necessidade de consulta ou deliberação. Em seu ensaio de 1941, "O renascimento do homem europeu", o fascista francês Pierre Drieu la Rochelle escreve: "É um tipo de homem que rejeita a cultura [...]. É um homem que não acredita em ideias e, portanto, rejeita doutrinas. É um homem que só acredita em atos e realiza esses atos de acordo com um mito nebuloso".[11] Uma vez que se deslegitimam as universidades e os especialistas, os políticos fascistas se veem livres para criar suas próprias realidades, moldadas por sua própria vontade individual. Limbaugh vem atacando a ciência há muitos anos, dizendo que "a ciência se tornou um lar para socialistas e comunistas deslocados". No momento atual da política dos EUA, quando a climatologia é ridicularizada por Trump e seu governo, vemos o triunfo do menosprezo da expertise científica.

Ao rejeitar o valor da expertise, os políticos fascistas também eliminam qualquer exigência de debate sofisticado. A realidade é sempre mais complexa do que nossos meios de representá-la. A linguagem científica requer uma terminologia cada vez mais complexa, para fazer distinções que seriam invisíveis sem ela. A realidade social é pelo menos tão complexa quanto a realidade da física. Numa democracia liberal saudável, uma linguagem pública com um vocabulário rico e variado para fazer distinções é uma instituição democrática vital. Sem isso, o discurso público saudável é impossível. A política fascista procura degradar e rebaixar a linguagem da política; a política fascista procura, assim, mascarar a realidade.

A obra de Victor Klemperer de 1947, *A linguagem do Terceiro Reich*, trata da linguagem do nacional-socialismo, que ele chama de LTI (abreviação de Lingua Tertii Imperii). O capítulo 3, intitulado "Característica distintiva: pobreza", começa assim: "A LTI é destituída. Sua pobreza é crítica; é como se tivesse feito voto de pobreza". Adolf Hitler foi muito explícito sobre a importância de empobrecer o discurso público dessa maneira. Em seu capítulo sobre propaganda em *Mein Kampf*, ele escreve:

> Toda propaganda deve ser popular e deve adaptar seu nível intelectual à capacidade receptiva do menos intelectual daqueles a quem se deseja abordar. Assim,

deve afundar sua elevação mental em proporção aos números da massa que deseja agarrar [...]. A capacidade receptiva das massas é muito limitada, e sua compreensão é pequena; por outro lado, elas têm um grande poder de esquecer. Sendo assim, toda propaganda eficaz deve limitar-se a pouquíssimos pontos que devem ser destacados na forma de slogans.[12]

Numa democracia liberal saudável, a linguagem é uma ferramenta de informação. O objetivo da propaganda fascista não é apenas zombar e fazer pouco caso de um debate público sólido e complexo sobre políticas, mas eliminar sua possibilidade. De acordo com Klemperer:

> Toda linguagem capaz de se afirmar livremente preenche todas as necessidades humanas, serve tanto à razão quanto à emoção, é comunicação e conversação, solilóquio e oração, pedido, comando e invocação. A LTI serve apenas à causa da invocação [...]. O único propósito da LTI é tirar todo mundo de sua individualidade, paralisá-los como personalidades, convertê-los em gado irracional e dócil num rebanho conduzido e perseguido numa direção específica, transformá-los em átomos num enorme bloco de pedra. A LTI é a linguagem do fanatismo de massa.[13]

Um princípio central da política fascista é que o objetivo da oratória não deve ser convencer o intelecto, mas influenciar a vontade. O autor anônimo de um artigo de uma revista fascista italiana de 1925 escreve: "O misticismo do fascismo é a prova do seu triunfo. O raciocínio não atrai, a emoção sim".[14] Em *Mein Kampf*, num capítulo intitulado "A luta dos primeiros dias: O papel do orador ", Hitler escreve que é um grande mal-entendido considerar a linguagem simples como estúpida. Ao longo de *Mein Kampf*, Hitler deixa claro que o objetivo da propaganda é substituir o argumento fundamentado na esfera pública por medos e paixões irracionais. Numa entrevista de fevereiro de 2018, Steve Bannon disse: "Fomos eleitos com base no 'Drain the Swamp, Lock Her Up, Build a Wall' [Drene o pântano, tranque-a, construa um muro]. Isso era pura raiva. A raiva e o medo é o que leva as pessoas às urnas".[15]

No mundo inteiro agora, vemos movimentos de extrema direita atacando as universidades pela disseminação do "marxismo" e do "feminismo", deixando de dar um lugar central aos valores da extrema direita. Mesmo nos Estados Unidos, berço do maior sistema universitário do mundo, vemos ataques ao melhor estilo Leste Europeu nas universidades. Os protestos estudantis são deturpados na imprensa e apresentados como tumultos de multidões indisciplinadas, ameaças à ordem civil. Na política fascista, as universidades são degradadas em discursos públicos, e os acadêmicos são ignorados como fontes legítimas de conhecimento e expertise, sendo representados como "marxistas" ou "feministas" radicais que estariam espalhando um plano ideológico esquerdista sob o disfarce de pesquisa. Ao rebaixar as instituições de ensino superior e empobrecer nosso vocabulário comum para discutir políticas, a política fascista reduz o debate a um conflito ideológico. Por meio dessas estratégias, a política fascista degrada os espaços de informação, obliterando a realidade.

4

IRREALIDADE

Quando a propaganda política consegue distorcer ideais fazendo com que se voltem contra si mesmos, quando as universidades são solapadas e condenadas como fontes de preconceito, a própria realidade é posta em dúvida. Nós não podemos concordar com a verdade. A política fascista substitui o debate fundamentado por medo e raiva. Quando é bem-sucedida, seu público fica com uma sensação de perda e desestabilização, um poço de desconfiança e raiva contra aqueles que, segundo foi dito, são responsáveis por essa perda.

A política fascista troca a realidade pelos pronunciamentos de um único indivíduo, ou talvez de um partido político. Mentiras óbvias e repetidas fazem parte do processo pelo qual a política fascista destrói o espaço da informação. Um líder fascista pode substituir a verdade pelo poder, chegando a mentir de forma inconsequente. Ao substituir o mundo por uma pessoa, a política fascista nos torna incapazes de avaliar argumentos com base num padrão comum. O político fascista possui técnicas específicas para destruir os espaços de informação e quebrar a realidade.

***

Qualquer pessoa que olhasse para a atual política dos EUA, ou para a atual política russa, ou para a atual política polonesa, notaria imediatamente a presença e a potência política das *teorias conspiratórias.*

A tarefa de definir teorias conspiratórias apresenta questões difíceis. A filósofa Giulia Napolitano sugeriu que deveríamos pensar em teorias da conspiração como "apontadas" a algum grupo externo e a serviço de alguns grupos internos. As teorias da conspiração funcionam para denegrir e deslegitimar seus alvos, vinculando-os, sobretudo simbolicamente, a atos problemáticos. As teorias da conspiração não atuam como informações comuns; elas são, afinal, muitas vezes tão estranhas que dificilmente se pode esperar que as pessoas acreditem nelas literalmente. Sua função é, antes, levantar suspeitas gerais sobre a credibilidade e a decência de seus alvos.

As teorias conspiratórias são um mecanismo fundamental utilizado para deslegitimar a grande mídia, que os políticos fascistas acusam de parcialidade por não cobrir falsas conspirações. Talvez a teoria da conspiração mais famosa do século XX gire em torno de *Os protocolos dos sábios de Sião*, que estava na base da ideologia nazista. *Os protocolos* é uma farsa do início do século XX, supostamente escrita a modo de manual de instruções para judeus como parte de um complô para dominar o mundo. Estudiosos descobriram que o texto foi quase todo plagiado do livro de Maurice Joly, *Diálogo no inferno entre Maquiavel e Montesquieu*, de 1864, uma sátira política na forma de um debate no inferno entre Montesquieu, que defende o liberalismo, e Maquiavel, que defende a tirania. Os argumentos de Maquiavel para a tirania são transformados, em *Os protocolos*, em argumentos feitos pelos "Anciões de Sião", supostamente líderes judeus inclinados à dominação mundial. O texto parece ter sido publicado pela primeira vez como um apêndice do livro *O anticristo*, de 1905, do escritor russo e místico religioso Sergei Nilus. Em 1906, foi publicado em capítulos num jornal de São Petersburgo, com o título "A conspiração, ou as raízes da desintegração da sociedade europeia". Em 1907, apareceu como um livro, publicado pela Sociedade de Surdos-Mudos de São Petersburgo. Vendeu milhões de cópias em todo o mundo na década de 1920, inclusive nos Estados Unidos, onde meio milhão de exemplares foram produzidos em massa e distribuídos por Henry Ford, o fabricante de automóveis, em 1925.

De acordo com *Os protocolos*, os judeus estão no centro de uma conspiração global que domina os meios de comunicação mais respeitados e o sistema econômico global, usando-os para disseminar a democracia, o capitalismo e o comunismo, tudo máscaras para ocultar os interesses judaicos. Os líderes nazistas mais proeminentes e influentes, incluindo Hitler e Goebbels, acreditavam piamente que essa teoria da conspiração era verdadeira. Em todos os escritos nazistas, encontramos denúncias à "imprensa judaica" por não denunciar e nem mencionar a conspiração judaica internacional.

As eleições presidenciais dos EUA em 2016 foram marcadas por uma série de teorias conspiratórias que tinham vários alvos, incluindo Hillary Clinton, a candidata democrata, assim como muçulmanos e refugiados. Talvez a mais bizarra dessas teorias tenha sido a "Pizzagate". Segundo aqueles que a difundiram, e-mails vazados de John Podesta, gerente de campanha de Clinton, supostamente continham mensagens secretas em código sobre o tráfico sexual de crianças para congressistas democratas, realizado numa pizzaria de Washington, D.C. As teorias circularam nas mídias sociais e, devido à sua natureza bizarra, tiveram, surpreendentemente, grande aceitação. Embora fosse apenas uma entre várias teorias conspiratórias bizarras sobre Clinton e os democratas, essa recebeu atenção nacional desmedida, não somente por sua extrema bizarrice, mas porque Edgar Maddison Welch, um indivíduo da Carolina do Norte, foi até a pizzaria, armado, para confrontar seus donos e libertar os supostos escravos sexuais. O objetivo dessa conspiração era vincular seus alvos – os democratas – a atos de extrema depravação.

Michael Lynch, filósofo da Universidade de Connecticut, usou o exemplo da "Pizzagate" como comprovação da tese de que as teorias da conspiração não devem ser tratadas como informações comuns. Lynch ressalta que, se alguém realmente acreditasse que havia uma pizzaria em Washington, D.C. que estava traficando crianças como escravas sexuais para congressistas democratas, seria completamente racional agir como Edgar Maddison Welch agiu. E, no entanto, Welch foi *condenado* por suas ações por aqueles que disseminaram a conspiração "Pizzagate". O ponto de Lynch é que a conspiração "Pizzagate" não foi planejada para ser tratada como informação comum. A função das teorias da conspiração é impugnar e difamar seus alvos, mas não necessariamente convencendo o público de que elas são verdadeiras. No caso da "Pizzagate", a teoria da conspiração pretendia permanecer no nível da insinuação e da calúnia.

Donald Trump chegou ao centro da atenção política atacando a imprensa por sua suposta censura da teoria da conspiração chamada "birtherism", a crença de que o presidente

Obama nasceu no Quênia e que, portanto, não seria elegível para ser presidente dos Estados Unidos. Em entrevista à CNN em 29 de maio de 2012, Trump criticou Wolf Blitzer e a CNN por não cobrirem o assunto, porque, segundo Trump, eles estavam trabalhando para Obama. A Fox News, em contrapartida, forneceu a Trump uma plataforma pronta para promover suas teorias conspiratórias. O presidente Trump não é um ponto fora da curva aqui; as teorias da conspiração são os cartões de visita da política fascista. As teorias da conspiração são ferramentas para atacar aqueles que ignoram sua existência; por não cobri-las, a mídia fica parecendo tendenciosa e, em última análise, parte da própria conspiração que se recusa a cobrir.

As teorias da conspiração não apenas têm o poder de influenciar as percepções da realidade, mas também podem moldar o curso de eventos reais. O partido de extrema direita da Polônia, o PiS, é mais conhecido por seu conservadorismo social e seu desdém em relação às instituições democráticas liberais. Mas é menos percebido fora da Polônia o fato do PiS ter chegado ao poder nas asas de teorias da conspiração tão fantásticas quanto a conspiração "birtherism" que levou Donald Trump ao centro da atenção política nos EUA e, eventualmente, à presidência.

Em 10 de abril de 2010, um avião que transportava o presidente polonês Lech Kaczynski e a primeira-dama, assim como todo o Comando Geral do Exército das Forças Armadas polonesas, o presidente do Banco Nacional e muitos outros membros da elite política polonesa, caiu numa floresta ao tentar uma aterrissagem no aeroporto de Smolensk, Rússia. A delegação estava indo comemorar o septuagésimo aniversário do massacre de Katyn, em que a Polícia Secreta Soviética executou mais de vinte mil membros do corpo de oficiais poloneses. A queda do avião foi uma tragédia nacional para a

Polônia. As comissões designadas para investigar suas causas na Rússia e na Polônia, assim como as transcrições do gravador de voz disponível na cabine, determinaram que o acidente aconteceu por erro do piloto.

No entanto, logo após o acidente, políticos proeminentes do PiS começaram a questionar as narrativas oficiais que surgiram das comissões de inquérito da Rússia e da Polônia. A estratégia imediata do PiS foi envolver o governo moderado da Polônia, assim como o governo russo, numa conspiração para derrubar a aeronave e encobrir o crime. Figuras associadas ao PiS lançaram cerca de vinte diferentes teorias da conspiração sobre o acidente. A imprensa *mainstream* denunciaria a "seita de Smolensk" como teóricos da conspiração que tentavam dividir o país, uma caracterização que aqueles que promoveram as teorias da conspiração, por sua vez, usariam para difamar e contestar a imprensa sob acusações de parcialidade. O sucesso parlamentar final do PiS deve-se a como ele usou essas teorias da conspiração para abalar a fé nas principais instituições democráticas do país, no governo e na imprensa.

Os políticos fascistas desacreditam a "mídia liberal" por censurar a discussão de teorias da conspiração de direita extravagantes, o que sugere um comportamento mentiroso encoberto pelo verniz de instituições democráticas liberais. As teorias da conspiração representam os elementos mais paranoicos da sociedade – no caso dos Estados Unidos, o medo de elementos estrangeiros e o islamismo (como na teoria "birther", de que o presidente Barack Obama nasceu muçulmano no Quênia); no caso da Hungria e da Polônia, o antissemitismo e o anticomunismo. O objetivo das conspirações é causar desconfiança generalizada e paranoia, justificando medidas drásticas, como censurar ou fechar a mídia "liberal" e aprisionar os "inimigos do Estado".

George Soros é um filantropo bilionário americano de origem judaico-húngara. A organização filantrópica de Soros, a Open Society Foundations, esteve profundamente envolvida nos esforços de construção da democracia em mais de cem países, inclusive em sua terra natal, a Hungria, onde também apoiou a fundação da Universidade Central Europeia, universidade líder no país. Em 2017, o primeiro-ministro húngaro, Viktor Orbán, afirmou que havia um "Plano Soros" para inundar a Hungria com imigrantes não cristãos, a fim de diluir a identidade cristã da nação. O governo de Orbán lançou uma campanha contra George Soros e seu suposto plano, com cartazes e anúncios de televisão direcionados a Soros, empregando o que muitos consideram representações marcadamente antissemitas. É claro que não há qualquer evidência de que o financista judeu tenha qualquer tipo de plano para inundar a Hungria com imigrantes não cristãos, mas a falta de notícias sobre isso na mídia é tomada, pelo governo de Orbán, como evidência do controle de Soros sobre ela, quando, na verdade, é Orbán que está manipulando a realidade.

Hannah Arendt, talvez a maior teórica do totalitarismo do século XX, alertou claramente sobre a importância das teorias da conspiração na política antidemocrática. Em *Origens do totalitarismo*, ela escreve:

> O mistério, como tal, tornou-se o primeiro critério para a escolha dos tópicos [...]. A eficácia desse tipo de propaganda demonstra uma das principais características das massas modernas. Elas não acreditam em nada visível, na realidade de sua própria experiência; elas não confiam em seus olhos e ouvidos, mas apenas em sua imaginação, que pode ser capturada por qualquer coisa que seja ao mesmo tempo universal e consistente em si mesma. O que

> convence as massas não são fatos, nem mesmo fatos inventados, mas apenas a consistência do sistema do qual supostamente fazem parte. Repetição [...] é importante apenas porque, com o tempo, as convence da coerência com o tempo.[1]

Como o público das teorias conspiratórias imediatamente desconsidera sua própria experiência, geralmente não é importante que as teorias da conspiração sejam comprovadamente falsas. O House Bill 45 do Texas, projeto "Leis Americanas para Tribunais Americanos", sancionado pelo governador do estado, Greg Abbott, em junho de 2017, tem como objetivo impedir que os muçulmanos levem a lei da Sharia para esse estado americano. A ideia de que os muçulmanos estão tentando transformar o Texas numa república islâmica é profundamente improvável, assim como a hipótese de que o presidente Obama seja um muçulmano disfarçado que finge ser cristão para derrubar o governo dos EUA. Essas teorias conspiratórias são eficazes, no entanto, porque fornecem explicações simples para emoções irracionais, como ressentimento ou medo xenófobo, diante de ameaças percebidas. A ideia de que o presidente Obama é um muçulmano disfarçado que finge ser um cristão para derrubar o governo dos EUA faz sentido racional a partir do sentimento irracional de ameaça que muitas pessoas brancas tiveram diante de sua ascensão à presidência. A ideia de que os muçulmanos tentam infiltrar a lei da Sharia no Texas faz sentido racional a partir do sentimento de medo causado por uma combinação de nacionalistas religiosos que espalham a xenofobia antimuçulmana e vídeos de propaganda do Estado Islâmico mostrando atos terroristas cometidos em terras distantes. Uma vez que o público aceita o conforto do pensamento conspiratório como uma explicação para os medos e ressentimentos irracionais, seus membros deixam de ser guiados pela razão na deliberação política.

***

Espalhar teorias conspiratórias disparatadas beneficia os movimentos fascistas. E, no entanto, como isso pode acontecer, se a razão sempre vence no âmbito da democracia liberal? A democracia liberal não deveria promover a transmissão de todas as possibilidades, mesmo as falsas e bizarras, porque a verdade acabará por prevalecer no mercado de ideias?

Talvez a defesa mais famosa da filosofia da liberdade de expressão tenha sido articulada por John Stuart Mill, que defendeu o ideal em seu trabalho de 1859, *Sobre a liberdade**. No capítulo 2, "Da liberdade de pensamento e discussão", Mill se propõe a estabelecer que silenciar qualquer opinião é errado, mesmo que a opinião seja falsa. Silenciar uma opinião falsa é errado, porque o conhecimento surge apenas da "colisão [da verdade] com o erro". Em outras palavras, a crença verdadeira torna-se conhecimento apenas emergindo vitorioso do ruído do argumento, desacordo e discussão.

Segundo Mill, o conhecimento emerge apenas como resultado da deliberação com posições opostas, que deve ocorrer tanto com oponentes reais quanto por meio do diálogo interno. Sem esse processo, até mesmo a crença verdadeira continua sendo mero "preconceito". Devemos permitir todo discurso, até mesmo a defesa de falsas alegações e teorias conspiratórias, porque é só aí que temos uma chance de alcançar o conhecimento.

Seja de forma acertada ou não, muitos associam a obra *Sobre a liberdade* de Mill com o tema de um "mercado aberto

---

* Mill, John Stuart. *Sobre a liberdade.* Tradução de Denise Bottmann. Porto Alegre: L&PM POCKET, 2016. (N.E.)

de ideias", um domínio que, se deixado para funcionar por conta própria, expulsará o preconceito e a falsidade e produzirá conhecimento. Mas a noção de um "mercado aberto de ideias", como o de um mercado livre em geral, baseia-se numa concepção utópica de consumidores. No caso da metáfora do mercado de ideias aberto, a premissa utópica é que a conversação funciona por troca de razões, com uma parte oferecendo suas razões, que então são contrabalançadas com as razões de um oponente, até que a verdade finalmente apareça. Mas a conversação não é usada apenas para comunicar informações. A conversação também é usada para bloquear perspectivas, intensificar medos e aumentar o preconceito. O filósofo Ernst Cassirer escreve em 1946, observando as mudanças provocadas pela política fascista na língua alemã:

> Se estudarmos nossos mitos políticos modernos e o uso que foi feito deles, encontraremos, para nossa grande surpresa, não apenas uma transvalorização de todos os nossos valores éticos, mas também uma transformação da linguagem humana [...]. Novas palavras foram cunhadas e até as antigas são usadas com um novo sentido; elas sofreram uma profunda mudança de significado. Essa mudança de significado depende do fato de que essas palavras, que antes eram usadas num sentido descritivo, lógico ou semântico, agora são usadas como palavras mágicas destinadas a produzir certos efeitos e a provocar certas emoções. Nossas palavras comuns são carregadas de significados; mas essas novas palavras são carregadas de sentimentos e paixões violentas.[2]

O argumento para o "mercado de ideias" pressupõe que as palavras são usadas apenas em seu "sentido descritivo, lógico ou semântico". Mas na política, e mais notadamente na política fascista, a linguagem não é usada simplesmente para transmitir informações, mas para provocar emoção.

O argumento do modelo do "mercado aberto de ideias" para a liberdade de expressão funciona somente se a disposição subjacente da sociedade é aceitar a força da razão sobre o poder dos ressentimentos irracionais e do preconceito. Se a sociedade é dividida, no entanto, um político demagógico pode explorar essa divisão usando a linguagem para semear o medo, acentuar o preconceito e pedir vingança contra membros de grupos odiados. Tentar contrariar tal retórica com a razão é semelhante ao uso de um panfleto contra uma pistola.

Mill parece pensar que o conhecimento, e *apenas* o conhecimento, emerge de argumentos entre oponentes dedicados. Tal processo, segundo Mill, destrói o preconceito. Mill certamente ficaria satisfeito com a rede de televisão russa RT, cujo lema é "Questione mais". Se Mill estiver correto, a RT, que apresenta vozes do espectro político mais amplo possível, de neonazistas a esquerdistas, deve ser a fonte paradigmática da produção de conhecimento. No entanto, a estratégia da RT não foi concebida para produzir conhecimento, mas como uma técnica de propaganda, para abalar a confiança nas instituições democráticas básicas. A verdade objetiva é abafada pela consequente cacofonia de vozes. O efeito da RT, assim como a miríade de sites produtores de teorias conspiratórias em todo o mundo, inclusive nos Estados Unidos, tem sido desestabilizar o tipo de realidade compartilhada que é de fato necessária para a contestação democrática.

Em que Mill errou aqui?

Para haver desacordo, é necessário haver um conjunto comum de premissas sobre o mundo. Mesmo no duelo há concordância sobre as regras. Você e eu podemos discordar em relação ao plano de saúde pública do presidente Obama, se foi uma boa política ou não. Mas se você suspeitar que o presidente Obama era um espião muçulmano disfarçado tentando destruir os Estados Unidos, e eu não, nossa discussão não será produtiva. Não estaremos falando sobre os custos e benefícios da política de saúde pública de Obama, mas se alguma de suas políticas mascara uma intenção antidemocrática desonesta.

Ao elaborar a estratégia para a RT, os propagandistas russos, ou "tecnólogos políticos", perceberam que, com uma cacofonia de opiniões e possibilidades estranhas, se poderia solapar o conjunto básico de premissas sobre o mundo que permite a investigação produtiva. Dificilmente haverá uma discussão fundamentada sobre política climática quando se suspeita que os cientistas que nos falam sobre mudança climática têm um interesse secreto pró-homossexual (como, por exemplo, o líder da mídia evangélica Tony Perkins sugeriu numa edição de 29 de outubro de 2014 de seu programa de rádio *Washington Watch*[3]). Permitir todas as opiniões na esfera pública, dando-lhe tempo para consideração, longe de resultar num processo que conduz à formação do conhecimento via deliberação, destrói essa possibilidade. A mídia responsável numa democracia liberal deve, em face dessa ameaça, tentar noticiar a verdade e resistir à tentação de informar sobre todas as teorias possíveis, por mais fantásticas que sejam, desde que alguém a promova.

***

O que acontece quando as teorias da conspiração se tornam a moeda da política, e a grande mídia e as instituições educacionais estão desacreditadas, é que os cidadãos não têm mais uma realidade comum que possa servir como pano de fundo para a deliberação democrática. Nessa situação, os cidadãos não têm outra escolha a não ser procurar referências para seguir que não apenas a verdade ou a confiabilidade. O que acontece nesses casos, como vemos em todo o mundo, é que os cidadãos buscam políticas para identificações tribais, para lidar com queixas pessoais e para entretenimento. Quando as notícias se tornam esporte, o homem forte atinge certa medida de popularidade. A política fascista transforma as notícias de um canal de informação e debate racional num espetáculo com o homem forte como a estrela.

A política fascista, como vimos, procura abalar a confiança na imprensa e nas universidades. Mas a esfera de informação de uma sociedade democrática saudável não inclui apenas instituições democráticas. A disseminação da suspeita geral e da dúvida enfraquece os laços de respeito mútuo entre os concidadãos, deixando-os com profundas fontes de desconfiança, não apenas em relação às instituições, mas também em relação uns aos outros. A política fascista procura destruir as relações de respeito mútuo entre cidadãos, que são a base de uma democracia liberal saudável, substituindo-as, em última instância, pela confiança apenas numa figura, o líder. Quando a política fascista é mais bem-sucedida, o líder é considerado pelos seguidores como o único confiável.

Nas eleições presidenciais dos EUA em 2016, Donald Trump mentiu repetida e abertamente, e desrespeitou, de modo escancarado, as normas liberais, há muito sacrossantas. A mídia norte-americana noticiou, como devido, suas muitas mentiras. Sua adversária, Hillary Clinton, seguiu as normas liberais de respeito mútuo; sua única violação dessas normas, que ocorreu quando ela chamou alguns dos apoiadores de seu adversário de "deploráveis", foi jogada em sua cara o tempo todo. E, de novo, os americanos julgaram Trump como o candidato mais autêntico. Ao dar voz a sentimentos chocantes supostamente impróprios para o discurso público, Trump foi considerado como alguém que *fala o que pensa*. É assim que, exibindo um comportamento demagógico clássico, um político pode ser visto como o candidato mais autêntico, mesmo quando ele é manifestamente desonesto.

A possibilidade desse tipo de política surge sob certas condições numa democracia.[4] Em mais um tipo de significado propagandístico distorcido, políticos podem transmitir a mensagem de que são os representantes do bem comum ao atacar explicitamente o bem comum. Para ver como essa situação desconcertante é possível, podemos examinar como essas condições surgiram no passado recente do sistema político dos EUA.

No artigo 10 de *O federalista*, James Madison argumentou que os Estados Unidos tinham que assumir a forma de uma democracia representativa e procurar eleger líderes que melhor representassem os valores da democracia. Uma campanha eleitoral deve apresentar candidatos que procurem mostrar que têm em mente os interesses comuns de todos os cidadãos. Dois fatores corroeram as proteções que a democracia representativa deveria garantir. Primeiro, os candidatos precisam arrecadar somas enormes para concorrer ao cargo (mais ainda desde a decisão de 2010 do Citizens United pelo Supremo Tribunal dos EUA*). Como resultado, eles representam os interesses de seus grandes doadores. No entanto, como se trata de uma democracia, eles também precisam

---

* Citizens United é uma ONG americana fundada em 1988. Em 2010, a Suprema Corte Americana julgou e deu acolhimento a um caso apresentado pela ONG e considerou inconstitucional uma lei federal que proibia corporações e sindicatos de fazerem contribuições a campanhas eleitorais. (N.E.)

tentar mostrar que representam o interesse comum. Precisam fingir que os interesses das corporações multinacionais que financiam suas campanhas também são o interesse comum.

Em segundo lugar, alguns eleitores não compartilham valores democráticos, e os políticos precisam se dirigir também a esses eleitores. Quando existem grandes desigualdades, o problema é agravado. Alguns eleitores são simplesmente atraídos mais por um sistema que favorece sua própria religião, raça, gênero ou nacionalidade. O ressentimento resultante das expectativas não atendidas pode ser redirecionado contra grupos minoritários vistos como grupos que não compartilham tradições dominantes; os bens que vão para eles são representados por políticos demagógicos, num jogo de soma zero, como o de tirar os bens de grupos majoritários. Alguns eleitores veem esses grupos, e não o comportamento das elites econômicas, como responsáveis por suas expectativas não atendidas. Os candidatos precisam atrair esses eleitores, sem parecer desprezar os valores democráticos. Como resultado, muitos políticos valem-se de linguagem codificada para explorar o ressentimento, como na "estratégia sulista" do Partido Republicano, a fim de evitar a acusação de excluir as perspectivas de grupos opostos. Como o infame estrategista político republicano Lee Atwater, consultor da Casa Branca de Reagan (mais tarde, coordenador da campanha vitoriosa de George H. W. Bush em 1988), explicou, numa entrevista de 1981 com o cientista político Alexander Lamis, que a intenção racista precisava ser menos explícita ao longo do tempo:

> Em 1968, o indivíduo não podia dizer "crioulo", que isso o prejudicava; o tiro saía pela culatra. Então se diziam coisas como desagregação de ônibus, direitos dos estados, esse tipo de coisa, e se falava de modo

> abstrato. Agora, fala-se de corte de impostos, e todas essas coisas são totalmente econômicas, e um subproduto delas é que os negros se ofendem mais do que os brancos [...][5]

Táticas como essas não são segredo e, por essas razões, a política dos EUA parece insincera a muitos eleitores. E eles estão cansados disso – anseiam por políticos íntegros e honestos. Eles querem que os políticos *digam a verdade nua e crua.* E procurarão esses candidatos, mesmo na ausência de um conjunto claro de valores compartilhados por eles.

Mas como os políticos podem sinalizar que não são hipócritas, especialmente quando os eleitores se acostumaram com o que parece, por razões reais e inventadas, ser uma grossa camada de hipocrisia?

Uma forma de os candidatos lidarem com o repúdio generalizado à hipocrisia é eles se apresentarem como defensores dos valores democráticos. Numa cultura democrática, esses candidatos seriam, teoricamente, os mais atraentes. No entanto, essa não é uma estratégia promissora em certos cenários políticos. É difícil apresentar a si mesmo como alguém que representa genuinamente o interesse comum num ambiente de desconfiança geral. Tal estratégia não comove os eleitores que rejeitam os valores democráticos, como a igualdade racial ou de gênero, ou aqueles que simplesmente negam que existam desigualdades. E haverá, pelos eleitores que apoiam os valores democráticos, uma competição acirrada entre os candidatos que apresentam a si mesmos como campeões desses.

Mas há uma maneira pela qual um político pode parecer sincero sem ter que competir com outros candidatos que buscam a mesma estratégia: defender a divisão e o conflito sem pedir desculpas por isso. Tal candidato poderia abertamente tomar o partido dos cristãos em relação aos muçulmanos e ateus, ou dos americanos nativos em relação aos imigrantes, ou dos brancos em relação aos negros, ou dos ricos em relação aos pobres. Eles podem mentir aberta e descaradamente. Em suma, poder-se-ia sinalizar autenticidade rejeitando explicitamente o que se presume serem valores políticos sacrossantos.

Tais políticos seriam um sopro de ar fresco numa cultura política que parece dominada pela hipocrisia real e imaginada. Eles seriam especialmente convincentes se demonstrassem sua suposta autenticidade ao visarem explicitamente grupos que não são estimados pelos eleitores que buscam atrair. Essa rejeição aberta dos valores democráticos seria tomada como bravura política, como um sinal de autenticidade. Não foi sem justificativa que Platão viu nas liberdades da democracia uma permissão para o surgimento de um demagogo habilidoso que tiraria proveito dessas liberdades para despedaçar a realidade, oferecendo-se a si mesmo como substituto.

Desde que Platão e Aristóteles escreveram sobre o assunto, os teóricos políticos sabem que a democracia não pode florescer em solo envenenado pela desigualdade. Não é só que os ressentimentos criados por tais divisões sejam alvos tentadores para um demagogo. O ponto mais importante é que a dramática desigualdade representa um perigo mortal para a realidade compartilhada necessária numa democracia liberal saudável. Aqueles que se beneficiam das desigualdades são frequentemente sobrecarregados por certas ilusões que os impedem de reconhecer a contingência de seus privilégios. Quando as desigualdades se intensificam, essas ilusões tendem a entrar em metástase. Que ditador, rei ou imperador não suspeitou ter sido escolhido pelos deuses para a sua função? Que poder colonial não alimentou ilusões de superioridade étnica, ou a superioridade de sua religião, cultura e modo de vida, superioridade que supostamente justifica suas expansões e conquistas imperiais? No Sul norte-americano de antes da Guerra Civil, os brancos acreditavam que a escravidão era uma grande dádiva para aqueles que eram escravizados. O duro tratamento dispensado pelos senhores de engenho sulistas às pessoas escravizadas que tentavam fugir ou se rebelar se devia em grande parte à convicção de que tal comportamento revelava falta de gratidão.

A extrema desigualdade econômica é tóxica para a democracia liberal porque gera ilusões que mascaram a realidade, minando a possibilidade de deliberação conjunta para resolver as divisões da sociedade. Aqueles que se beneficiam de grandes desigualdades tendem a acreditar que conquistaram seu privilégio, uma ilusão que os impede de ver a realidade como ela é. Mesmo aqueles que comprovadamente não se beneficiam das hierarquias podem ser levados a acreditar que sim; daí o uso do racismo para enredar cidadãos brancos pobres nos Estados Unidos, apoiando cortes de impostos para brancos extravagantemente ricos que por acaso têm a mesma cor de pele que eles.

Igualdade liberal significa que aqueles com diferentes níveis de poder e riqueza são considerados como tendo o mesmo valor. A igualdade liberal é, por definição, destinada a ser compatível com a desigualdade econômica. E, no entanto, quando a desigualdade econômica é suficientemente extrema, os mitos que são necessários para sustentá-la também ameaçam a igualdade liberal.

Os mitos que surgem sob condições de dramática desigualdade material legitimam o ato de ignorar o árbitro comum apropriado para fins de discurso público – ou seja, o mundo. Para destruir completamente a realidade, a política fascista substitui o ideal liberal de igualdade pelo seu oposto: a hierarquia.

5

HIERARQUIA

Os destinos dos seres humanos não são iguais. Os homens são diferentes por seu estado de saúde, sua riqueza, status social e que tais. A mais simples observação mostra que, quando existem contrastes acentuados entre o destino ou a situação de duas pessoas, seja quanto à saúde, à situação econômica, social ou outra qualquer, aquele que se encontra na situação mais favorável, por mais patente que seja a origem puramente "casual" da diferença, sente a necessidade incessante de considerar como "legítimo" o contraste que o privilegia, a situação própria como "merecida", e a do outro como resultado de alguma "culpa" dele.

Max Weber, *Economia e sociedade* (1967)

A história da cidadania liberal – de igualdade perante a lei – tem sido em geral de expansão, abrangendo gradualmente pessoas de todas as raças, religiões e gêneros, para citar alguns exemplos. Isso também é verdade na filosofia política. Influenciados, por exemplo, por teóricos da deficiência, os filósofos expandiram a noção de dignidade humana para incluir aqueles que não podem, na maioria das circunstâncias, empregar sua capacidade de julgamento político. No século XXI, a maioria dos pensadores liberais adotou um generoso reconhecimento do status e da dignidade humana universal , a fim de abarcar a capacidade de sentir o sofrimento físico, sentir emoções e expressar identidade e empatia de diversas maneiras.

De acordo com a ideologia fascista, em contrapartida, a natureza impõe hierarquias de poder e dominância que contrariam categoricamente a igualdade de respeito pressuposta pela teoria democrática liberal.

A hierarquia é uma espécie de ilusão em massa, prontamente explorada pela política fascista. Uma vertente importante da psicologia social, a Teoria da Dominância Social, lançada por Jim Sidanius e Felicia Pratto, estuda essas ilusões sob o nome de "mitos da legitimação".[1] Os trechos de abertura de um levantamento bibliográfico feito em 2006 dos últimos quinze anos da Teoria da Dominância Social incluem a seguinte afirmação:

> Independentemente da forma de governo de uma sociedade, do conteúdo de seu sistema de crença fundamental ou da complexidade de suas disposições sociais e econômicas, as sociedades humanas tendem a se organizar como hierarquias sociais baseadas em grupos em que pelo menos um grupo goza de maior status social e poder do que outros grupos.[2]

A ideologia fascista, então, aproveita a tendência humana de organizar a sociedade hierarquicamente, e os políticos fascistas representam os mitos que legitimam suas hierarquias como fatos imutáveis. Sua justificativa principal para a hierarquia é a própria natureza. Para o fascista, o princípio da igualdade é uma negação da lei natural, que estabelece certas tradições, das mais poderosas, sobre outras. A lei natural supostamente coloca homens acima de mulheres, e membros da nação escolhida do fascista acima de outros grupos.

A natureza é repetidamente invocada na escrita fascista. Em 21 de março de 1861, Alexander H. Stephens, vice-presidente da Confederação, proferiu um discurso que passou a ser conhecido como "Cornerstone Speech", ou Discurso da Pedra Angular. Nele, os princípios de liberdade e igualdade consagrados na Constituição dos EUA são denunciados como violações das leis da natureza:

> Nosso novo governo é fundado exatamente na ideia oposta [à ideia de igualdade]; seus alicerces estão postos, sua pedra angular repousa sobre a grande verdade de que o negro não é igual ao branco; que a subordinação da escravidão à raça superior é a condição natural e normal.[3]

O Discurso da Pedra Angular evidencia a lógica caracteristicamente fascista de que os princípios democráticos liberais estão em conflito com a natureza e devem, portanto, ser abandonados:

> Recordo-me de uma vez ter ouvido um cavalheiro de um dos estados do Norte, de grande poder e habilidade, anunciar na Câmara dos Representantes, com

> imponência, que nós do Sul seríamos obrigados, no final, a ceder nesse assunto de escravidão; que era tão impossível combater um princípio na política quanto na física ou na mecânica. Que o princípio acabaria por prevalecer. Que nós, mantendo a escravidão como ela existe aqui, estávamos lutando contra um princípio, um princípio fundamentado na natureza, o princípio da igualdade dos homens. A resposta que dei a ele foi que, com base em suas próprias razões, deveríamos ter sucesso no final, e que ele e seus associados, nessa cruzada contra nossas instituições, acabariam fracassando. A verdade anunciava que era tão impossível combater um princípio na política quanto na física e na mecânica, admiti, mas disse-lhe que era ele e aqueles que agiam com ele que estavam em guerra contra um princípio. Eles estavam tentando igualar coisas que o Criador fez desiguais.

A Confederação, declara Stephens, é "fundada sobre princípios em estrita conformidade" com as leis da natureza, que são "a verdadeira 'pedra angular' de nosso novo edifício". Stephens denuncia aqueles que negavam a desigualdade da inferioridade racial como "fanáticos" que rejeitam "os princípios eternos da verdade". A Confederação, como o Reich de Hitler, foi construída para defender "o princípio aristocrático da natureza", o princípio da hierarquia racial.

Na universidade, há vozes poderosas que clamam por um "discurso racional" sobre diferenças genéticas entre raças em aspectos como inteligência ou propensão à violência, e nelas encontramos um claro eco da condenação feita por Stephens aos abolicionistas, chamando-os de "fanáticos" irracionais por sua firme crença na igualdade racial. Em seu artigo de março de 2018 para o *The Guardian*, "The Unwelcome Revival of Race Science" [O ressurgimento indesejado da ciência racial], Gavin Evans descreve como "a ciência racial está [se infiltrando] no discurso dominante" por meio de figuras como o cientista político Charles Murray e o psicólogo de Harvard Steven Pinker. De acordo com Evans, em 2005, Pinker começou a popularizar a visão de que "os judeus asquenazes são particularmente inteligentes por natureza", uma visão que Evans descreve como "o rosto sorridente da ciência racial"; a alegação de que os judeus asquenazes são particularmente inteligentes por natureza convida o leitor a tirar conclusões sobre outros grupos e sua "inteligência inata". Numa matéria de 2007 para o site The Edge, Pinker denuncia que o "politicamente correto" impediu que os pesquisadores estudassem "ideias perigosas", entre elas: "As mulheres, de modo geral, têm um perfil de aptidões e emoções diferente dos homens?", e: "Os judeus asquenazes, de modo geral, são mais inteligentes que os gentios porque seus ancestrais foram selecionados pela perspicácia necessária em empréstimos de dinheiro?", e: "Os homens afro-americanos, de modo geral, têm níveis mais altos de testosterona do que os homens brancos?". A preocupação com esse tipo de escrita é que ela apresenta aqueles que buscam uma fonte natural para a desigualdade como corajosos buscadores da verdade, motivados pela razão a rejeitar o pedido de igualdade feito pelo coração. Essa pesquisa provou ser, na melhor das hipóteses, suspeita. E, no entanto, a busca pela fonte natural da desigualdade apontada por Stephens como sendo um fato de alguma forma continua, semelhante à busca pelo Santo Graal.

Os fascistas argumentam que hierarquias naturais de valor existem de fato e que sua existência desfaz a obrigação de considerar as pessoas iguais. Vê-se uma avaliação desse tipo nas palavras de muitos partidários brancos de Donald Trump nas eleições presidenciais de 2016, que viviam falando de seu desprezo pelos beneficiários supostamente "não merecedores" da generosidade do governo dos EUA na forma de cuidados de saúde, referindo-se, geralmente, a seus concidadãos negros. Em sua corrida para a presidência, Trump explorou a longa história de se classificar os americanos numa hierarquia de valor por raça, os "merecedores" versus os "não merecedores". Quando pressionados por jornalistas a justificar a distinção entre "merecedores" e "não merecedores", os americanos que usam esse vocabulário conseguem explicar a diferença em termos de "trabalhadores" versus "preguiçosos", não de distinção racial. Mas isso dificilmente justifica a divisão dos concidadãos em tais categorias. Primeiro, nos Estados Unidos, o racismo muitas vezes assumiu a forma de associar a negritude com a preguiça. Essa linguagem sempre foi um código para a divisão por hierarquia racial. Em segundo lugar, revela confusão sobre o conceito de democracia liberal, de medir o merecimento com a régua de uma suposta capacidade de trabalho árduo. Não faz parte da teoria democrática liberal a exigência de que o respeito básico e igual seja conquistado pelo trabalho árduo. A ideia por trás da democracia liberal é que *todos* nós somos igualmente merecedores dos bens básicos da sociedade.

Alguns argumentariam pela existência de diferenças inerentes entre grupos de pessoas em termos de inteligência e autocontrole, e ainda afirmam valorizar dignidade igual para todos. No entanto, a história nos dá exemplos contundentes da dificuldade de acreditar em diferenças sistemáticas de grupos e ao mesmo tempo defender o tratamento igual de outros. Em seu ensaio de 1920, "Of the Ruling of Men" [Do domínio dos homens], W.E.B. Du Bois escreve sobre o fracasso em dar às mulheres voz igual nas decisões da política:

> [...] as mulheres foram excluídas da democracia moderna por causa da persistente teoria da sujeição feminina e porque se argumentou que seus maridos ou outros homens olhavam por seus interesses. Agora, manifestamente, a maioria dos maridos, pais e irmãos, na medida em que sabem como ou percebem as necessidades das mulheres, cuidará delas [...] Basta ver as relações insatisfatórias dos sexos em todo o mundo e o problema das crianças para perceber quão desesperadamente precisamos dessa sabedoria excluída.[4]

Tais exemplos sugerem a dificuldade de manter uma ética de igual valor quando existe uma crença em diferenças genéticas de grupos em termos de habilidades cognitivas ou capacidade de controlar as próprias ações. Ninguém é forçado, por um confronto com a realidade, a acreditar nesse tipo de diferença hierárquica entre, por exemplo, gêneros, ou grupos raciais ou étnicos. Não há evidência conclusiva para tais hierarquias, apesar de séculos de tentativas de estabelecê-las por decreto religioso ou investigação científica. Aqueles que lutam arduamente por hierarquias raciais de inteligência ou capacidade de autocontrole, embora neguem qualquer interesse em consequências morais ou políticas iliberais, tendem a se equivocar.

***

Estabelecer hierarquias de valor é, naturalmente, um meio de obter e reter poder – uma espécie de poder que a democracia liberal tenta deslegitimar. Nesse ponto, há críticas aos ideais liberais tanto da esquerda tradicional quanto da direita tradicional. Críticas esquerdistas do liberalismo apontam seu suposto fracasso em explicar as desigualdades estruturais e históricas, na medida em que a prática do liberalismo não inclui soluções para injustiças passadas. Críticos esquerdistas do liberalismo também argumentam que os ideais liberais de igualdade e liberdade podem ser usados para consolidar o poder dos grupos dominantes. Por exemplo, pode-se argumentar que as formas de remediar injustiças estruturais enraizadas – digamos, programas de ação afirmativa – violam os ideais liberais de tratamento igual às pessoas. Críticas ao liberalismo da direita têm um teor diferente. Os críticos de direita advertem que a igualdade liberal pode ser usada por grupos marginalizados como uma arma para substituir o status privilegiado de grupos dominantes e suas tradições.

Tanto a crítica de esquerda quanto a de direita ao liberalismo concentram-se no fato de que os ideais liberais ignoram as diferenças de poder. Os críticos esquerdistas argumentam que, ao fazê-lo, os ideais liberais consolidam as desigualdades preexistentes. Os críticos direitistas argumentam que, ao ignorar as diferenças de poder, o liberalismo torna os grupos dominantes suscetíveis a ter seu status privilegiado subvertido pelo "compartilhamento de poder" forçado e, portanto, injusto. Encontramos esta segunda crítica ao liberalismo expressa explicitamente nos escritos de Hitler, bem como em *Os protocolos dos sábios de Sião.*

Os protocolos, lembre-se, é uma falsificação escrita como um manual de instruções pelos "sábios de Sião", supostamente líderes entre os judeus, a outros judeus, para conquistar e dominar o mundo em nome do povo judeu. Começa instruindo o leitor a "infectar o oponente com a ideia de liberdade, o assim chamado liberalismo". Segundo *Os protocolos*, o liberalismo enfraquece o "adversário" (aqui, o cristão), fazendo com que os cristãos reconheçam os direitos iguais dos judeus. Se os cristãos aceitarem o liberalismo, eles serão levados a considerar, com igual respeito e igual reconhecimento, outros grupos religiosos, assim abrindo mão de sua tradicional posição dominante:

> A liberdade política é uma ideia, mas não um fato. O indivíduo deve saber aplicar essa ideia sempre que for necessário, como isca de ideia que atrai as massas a seu partido com o propósito de esmagar outro em posição de autoridade. Essa tarefa é facilitada se o adversário tiver sido infectado com a ideia de liberdade, O CHAMADO LIBERALISMO, e, por causa de uma ideia, estiver disposto a ceder parte de seu poder. É precisamente aqui que nossa teoria triunfa; as rédeas frouxas do governo são imediatamente, pela lei da vida, apanhadas e reunidas por uma nova mão, porque o poder cego da nação não tem como existir, um dia sequer, sem orientação, e a nova autoridade simplesmente ocupa o lugar da velha autoridade já enfraquecida pelo liberalismo.

Na afirmação "A liberdade política é uma ideia, mas não um fato", os supostos autores de *Os protocolos* ecoam o tema do Discurso da Pedra Angular, de Stephens – de que a liberdade política e, portanto, a igualdade política, é uma ilusão, uma impossibilidade, visto que a natureza exige um grupo para liderar e dominar. *Os protocolos* sugere a disseminação do mito da "liberdade política" ou "liberalismo" aos membros dos grupos dominantes. Ao aceitar o mito da "liberdade política", aqueles que estão no poder concederão igual status aos que não o possuem. Mas como "a lei da vida", isto é, a natureza, exige que um grupo governe, quando os judeus receberem parte do poder dos cristãos dominantes, eles poderão, então, tomar todo o poder.

A igualdade, segundo o fascista, é o cavalo de troia do liberalismo. O papel de Odisseu pode ser interpretado de forma variada – por judeus, por homossexuais, por muçulmanos, por não brancos, por feministas etc. Qualquer um que espalhe a doutrina da igualdade liberal ou é um ingênuo, "infectado pela ideia da liberdade", ou um inimigo da nação, que dissemina os ideais do liberalismo com objetivos desonestos e, na verdade, iliberais.

O projeto fascista combina a ansiedade sobre a perda de status por parte dos membros da verdadeira "nação" com o medo do reconhecimento igualitário para grupos minoritários odiados. Para a Ku Klux Klan do século XX, os judeus eram frequentemente vistos como a força por trás da igualdade racial negra: os judeus procuravam promover a igualdade negra a fim de diluir o sangue branco puro e minar o nacionalismo ético cristão branco. Como o ideólogo nazista Alfred Rosenberg escreveu num comentário de 1923 sobre *Os protocolos dos sábios de Sião*, "todo mundo sabe que os judeus de todos os tipos fingem lutar pela liberdade e pela paz dia após dia; seus discursos transbordam humanitarismo e amor à humanidade, desde que os interesses judaicos sejam promovidos".[5] Na ideologia nazista, os judeus agem com as mesmas visões hierárquicas da natureza dos nazistas, mas usam os princípios universais da democracia liberal como fachada para promovê-la. Faz parte da política fascista clássica, como vimos, apresentar os verdadeiros defensores da democracia liberal como defensores de seus ideais somente para enfraquecê-los.

De acordo com os fascistas, os liberais e marxistas (ou "marxistas culturais") promovem os ideais de igualdade e liberdade, espalhando suas ideias como "infecções" para os membros do grupo dominante, o que leva estes a entregar voluntariamente seu poder. No caso da igualdade das mulheres, a aceitação dos ideais liberais leva à destruição da virtuosa sociedade patriarcal, que é a base do mito fascista. O movimento America First, de Lindbergh, repudiava os ideais liberais, considerando que eles provocavam a poluição do "sangue puro" da nação branca via imigração. No caso da Rússia contemporânea e grande parte da direita cristã dos EUA, a democracia liberal leva à legitimação da imigração e à suposta introdução do estupro em massa pelos imigrantes, e à aceitação da homossexualidade junto com seu suposto pecado resultante, a "degeneração".

***

A hierarquia beneficia a política fascista também de outra maneira: aqueles que estão acostumados com seus benefícios podem ser facilmente levados a ver a igualdade liberal como uma fonte de vitimização. Aqueles que se beneficiam da hierarquia adotarão um mito sobre sua própria superioridade, que ocultará fatos básicos sobre a realidade social. Eles desconfiarão de pedidos de tolerância e inclusão feitos por liberais, alegando que esses pedidos são máscaras para a tomada de poder de outros grupos. A política fascista se alimenta da sensação de vitimização e ressentimento causada pela perda do status hierárquico.

Impérios em declínio são particularmente suscetíveis à política fascista por causa desse sentimento de perda. É da própria natureza do império criar uma hierarquia; os impérios legitimam seus empreendimentos coloniais por um mito de sua própria excepcionalidade. Ao longo do declínio, a população é facilmente levada a um sentimento de humilhação nacional que pode ser mobilizado pela política fascista para servir a vários propósitos. Durante o final do século XIX e início do século XX, o Império Otomano sofreu um tremendo colapso, perdendo mais de 1 milhão de quilômetros quadrados de território na África e na Europa, incluindo a Líbia, Albânia, Macedônia, Bósnia, Herzegovina e Creta. O sultanato otomano foi derrubado em 1908, e em 1913 o império foi tomado por ultranacionalistas extremistas que pregavam a visão de um passado mítico turco de pureza étnica, que foi ameaçado pela presença de minorias não turcas, não muçulmanas (a mitologia aqui é particularmente extrema, pois o berço da Turquia moderna no Império Otomano foi Bizâncio, um dos impérios cristãos mais poderosos e duradouros do mundo). Eles foram capazes de explorar a sensação de humilhação e ressentimento e perda de território para provocar, na segunda década do século XX, um dos crimes mais horríveis da história: o massacre da população cristã armênia da Turquia.

Em "Why Trump Now? It's the Empire, Stupid" [Por que Trump agora? É o império, idiota], um artigo de junho de 2016 publicado no periódico *The Nation*, o historiador da NYU Greg Grandin argumenta que a política de Donald Trump é eficaz no contexto da campanha de 2016 porque chega num momento de declínio para o império americano. Estamos testemunhando o ocaso da era após o fim da Guerra Fria, na qual os Estados Unidos reinaram soberanos no mundo como a única superpotência remanescente. No artigo, ele afirma que um império dá origem, entre seus cidadãos, a um reconfortante mito de superioridade, ocultando, assim, os vários problemas sociais e estruturais que, de outro modo, levariam a dificuldades políticas. Com seu fim, os cidadãos de um império outrora poderoso precisam encarar o fato de que sua excepcionalidade era um mito. Grandin escreve que a partir de 2008 – mais ou menos quando Barack Obama venceu as eleições presidenciais – "a válvula de segurança do império fechou, bloqueada pela guerra catastrófica no Iraque, somada à crise financeira de 2008 [...] Como Obama chegou ao poder nas ruínas do neoliberalismo e do neoconservadorismo, o império não era mais capaz de diluir as paixões, satisfazer os interesses e unir as divisões".

Quando a hierarquia imperial entra em colapso e a realidade social é exposta, o sentimento hierárquico na metrópole tende a surgir como um mecanismo para preservar a familiar e reconfortante ilusão de superioridade. A política fascista prospera a partir do sentimento de perda e da vitimização resultante da luta cada vez mais tênue e difícil para defender um senso de superioridade cultural, étnica, religiosa, de gênero ou nacional.

6

VITIMIZAÇÃO

Na política fascista, as noções diametralmente opostas de igualdade e discriminação misturam-se uma com a outra. A Lei dos Direitos Civis de 1866 transformou os recém-emancipados afro-americanos do Sul em cidadãos americanos e protegeu seus direitos civis. Foi aprovada pelo Senado e pela Câmara em 14 de março de 1866. Mais tarde naquele mês, o presidente Andrew Johnson vetou a Lei dos Direitos Civis, alegando que "esta lei estabelece, para a segurança das raças de cor, salvaguardas que vão infinitamente além de qualquer uma que o governo geral já tenha providenciado para a raça branca". Como observa W.E.B. Du Bois, Johnson considerava salvaguardas mínimas que representavam o início de um caminho na direção da futura igualdade negra como "discriminação contra a raça branca".[1]

Hoje, os americanos brancos superestimam a extensão do progresso dos EUA em direção à igualdade racial nos últimos cinquenta anos. A desigualdade econômica entre americanos negros e brancos está mais ou menos no ponto em que estava durante a Reconstrução; para cada cem dólares que uma família branca comum acumula, a família negra média tem apenas cinco dólares; e, no entanto, como Jennifer Richeson, Michael Kraus e Julian Rucker mostraram em seu artigo "American Misperceive Racial Economic Equality" [Os americanos percebem errado a igualdade econômica racial], de 2017, os cidadãos americanos brancos ignoram amplamente esse fato, acreditando que a desigualdade racial se reduziu drasticamente.[2] Quarenta e cinco por cento dos partidários do presidente Donald Trump acreditam que os brancos são o grupo racial mais discriminado nos Estados Unidos; cinquenta e quatro por cento dos partidários de Trump acreditam que os cristãos são o grupo religioso mais perseguido nos Estados Unidos. Há uma diferença crucial, é claro, entre sentimentos de ressentimento e opressão e genuína desigualdade e discriminação.

Há uma longa história de pesquisas de psicologia social sobre o fato de que a crescente representação de membros de grupos tradicionalmente minoritários é vivenciada por grupos dominantes como uma ameaça em vários sentidos.[3] Mais recentemente, um conjunto crescente de evidências da psicologia social respalda o fenômeno dos sentimentos de vitimização de grupos dominantes frente à perspectiva de terem que dividir igualmente o poder com membros de grupos minoritários. Recentemente, grande atenção tem sido dada nos Estados Unidos ao fato de que, por volta de 2050, os Estados Unidos se tornarão um país "majoritariamente minoritário", o que significa que os brancos não serão mais a maioria dos americanos. Valendo-se dessas notícias, alguns psicólogos sociais testaram o que acontece quando os americanos brancos são informados disso.

Num estudo de 2014, as psicólogas Maureen Craig e Jennifer Richeson descobriram que o simples fato de ressaltar a iminente transformação nacional para um país "majoritariamente minoritário" aumentou significativamente o apoio dos americanos brancos sem afiliação política às políticas de direita.[4] Por exemplo, ler sobre uma iminente mudança racial no país, de uma maioria branca para a maioria não branca, fez com que os americanos brancos se mostrassem menos inclinados a apoiar ações afirmativas, mais inclinados a apoiar restrições à imigração e, talvez surpreendentemente, mais propensos a apoiar políticas conservadoras "racialmente neutras", como aumentar os gastos com defesa. Sintetizando a pesquisa num artigo de revisão a ser publicado, Maureen Craig, Julian Rucker e Jennifer Richeson escrevem: "Este crescente conjunto de pesquisa encontra evidências claras de que os americanos brancos (isto é, a maioria racial atual) vivenciam a iminente mudança para um país 'majoritariamente minoritário' como uma ameaça ao seu status dominante (social, econômico, político e cultural)".[5] Esse sentimento de ameaça pode ser manobrado politicamente para servir de apoio aos movimentos de direita. Essa dialética está longe de ser exclusiva dos Estados Unidos; é, antes, uma característica geral da psicologia de grupo. A exploração do sentimento de vitimização de grupos dominantes frente à perspectiva de ter que dividir cidadania e poder com grupos minoritários é um elemento universal da política fascista internacional contemporânea.

***

Diante da discriminação, grupos historicamente oprimidos se organizaram em movimentos que proclamavam orgulho por suas identidades ameaçadas. Na Europa Ocidental, o nacionalismo judaico do movimento sionista surgiu como uma resposta ao antissemitismo tóxico. Nos Estados Unidos, o nacionalismo negro surgiu como uma resposta ao racismo tóxico. Em suas origens, esses movimentos nacionalistas foram respostas à opressão. As lutas anticolonialistas ocorrem geralmente sob a bandeira do nacionalismo; por exemplo, Mahatma Gandhi empregou o nacionalismo indiano como uma ferramenta contra o domínio britânico. Esse tipo de nacionalismo – o nacionalismo que surge da opressão – não é de origem fascista. Essas formas de nacionalismo, em suas formações originais, são movimentos nacionalistas orientados para a igualdade.

No colonialismo, a nação imperial apresenta-se como portadora de ideais universais. Por exemplo, os colonialistas britânicos no Quênia apresentaram o cristianismo como o ideal universal e as muitas religiões tribais locais como primitivas e selvagens. Em parte uma resposta a essa opressão religiosa, a revolta dos mau-mau contra a Grã-Bretanha valorizou a tradicional religião gikuyu – os rebeldes mau-mau fizeram um juramento a Ngai, o deus gikuyu. A luta colonialista mau-mau usou ideais religiosos nacionalistas para combater o colonialismo. Mas o objetivo da iniciativa mau-mau não era lutar pela *superioridade* das tradições religiosas gikuyu em relação às tradições religiosas britânicas. O objetivo deles era, antes, lutar *pela* igualdade das tradições gikuyu *contra* a demonização britânica, que as consideravam formas de selvageria primitiva. Para tanto, era necessário elevar essas tradições, considerá-las sacrossantas e especiais, não como um meio de repudiar o valor das tradições britânicas, mas como meio de enfatizar uma exigência de igual respeito. Esse tipo de nacionalismo, portanto, não é, em nenhum sentido, *contrário* à igualdade; na verdade, apesar de parecer o oposto, a igualdade é seu *objetivo*.

O caso é semelhante ao movimento Black Lives Matter nos Estados Unidos hoje. Seus detratores tentam apresentar o slogan como a afirmação nacionalista iliberal de que *somente* as vidas negras são importantes. Mas o slogan dificilmente pretende ser um repúdio ao valor das vidas brancas nos Estados Unidos. Em vez disso, sua intenção é salientar que, nos Estados Unidos, as vidas brancas passaram a importar mais do que outras vidas. O objetivo do lema Black Lives Matter é chamar a atenção para uma falha no respeito igualitário. Em seu contexto, significa que "as vidas negras *também* importam".

No cerne do fascismo está a lealdade à tribo, à identidade étnica, à religião, à tradição ou, em uma palavra, à *nação*. Mas, em acentuado contraste com uma versão do nacionalismo que tem a igualdade como meta, o nacionalismo fascista é um repúdio ao ideal democrático liberal; é o nacionalismo a serviço da dominação, com o objetivo de preservar, manter ou conquistar uma posição no topo de uma hierarquia de poder e status.

***

A diferença entre o nacionalismo motivado pela opressão e o nacionalismo em prol da dominação é clara quando se reflete sobre suas respectivas relações com a noção de igualdade. Mas essa diferença pode ser invisível por dentro. Seja a angústia que acompanha a perda de status privilegiado semelhante ou não ao sentimento de opressão que acompanha a genuína marginalização, ainda assim é angústia. Se eu cresci num país em que minhas festas religiosas eram feriados nacionais, sentiria como marginalização que meus filhos crescessem num país mais igualitário, em que seus feriados e tradições religiosas são apenas um de muitos. Se eu cresci numa sociedade em que todos os personagens dos filmes que vejo e os programas de televisão a que assisto se pareciam comigo, sentiria como marginalização ter um protagonista ocasional que não se parecesse. Eu começaria a sentir que minha cultura não é mais "para mim". Se cresci vendo homens como heróis e mulheres como objetos passivos que os adoram, sentiria como opressão que meu direito de primogenitura fosse roubado por ter que considerar as mulheres como iguais no local de trabalho ou no campo de batalha. A retificação de injustas desigualdades sempre trará sofrimento àqueles que se beneficiaram de tais injustiças. Esse sofrimento será inevitavelmente vivenciado por alguns como opressão.

***

A propaganda fascista normalmente apresenta hinos pungentes diante do sentimento de angústia que acompanha a perda do status dominante. Esse sentimento de perda, que é genuíno, é manipulado na política fascista, transformado em vitimização e ressentimento e explorado para justificar formas de opressão passadas, atuais ou novas.

Para um homem branco da classe trabalhadora que não é mais empregado por razões econômicas estruturais, pedir-lhe que "verifique seu privilégio"* pode aumentar a probabilidade de que ele enxergue condições igualitárias no programa da supremacia branca. A política fascista zomba dessas sinceras exigências liberais. A investigação sobre a desigualdade estrutural exige uma reflexão pública coletiva sobre as fortes evidências que revelam de que forma a raça e o status baseado no gênero deram aos homens brancos e, em menor

* "Check your privilege" no original. (N.E.)

grau, às mulheres brancas graus de liberdade nunca totalmente disponíveis aos cidadãos negros. "Verifique seu privilégio" é um chamado para que os brancos reconheçam a realidade social isolada de que gozam diariamente. No entanto, a frase é jogada de volta à esfera pública como hipocrisia por parte das elites liberais, porque a propaganda nacionalista branca não detecta racismo contra os cidadãos negros na América de 2017, mas muito contra os brancos.

A política fascista encobre a desigualdade estrutural, tentando inverter, deturpar e subverter o longo e difícil esforço para enfrentá-la. A ação afirmativa, em sua melhor forma, foi concebida para reconhecer e lidar com a desigualdade estrutural. Mas ao apresentar falsamente a ação afirmativa como dissociada do mérito individual, alguns de seus detratores distorcem a imagem dos defensores da ação afirmativa, dizendo que eles perseguem seu próprio "nacionalismo" com base em raça ou gênero, em detrimento dos americanos brancos trabalhadores, independentemente de evidências. A experiência de perder uma dignidade outrora inquestionável e estabelecida – a dignidade que advém de ser branco, não negro – é facilmente capturada por uma linguagem de vitimização branca.

O Men's Rights Activist Movement (MRA) [Movimento Ativista dos Direitos dos Homens] nos Estados Unidos na década de 1990 cristalizou a vivência da perda de privilégio como vitimização. Em seu livro de 2013, *Angry White Men: American Masculinity at the End of an Era* [Homens brancos raivosos: A masculinidade americana no fim de uma era], o sociólogo Michael Kimmel, de Stony Brook, escreve:

> Quando os homens brancos são descritos como os opressores, os brancos comuns de classe média não costumam sentir todo aquele poder indo para eles

> [...] Para os MRAs, as verdadeiras vítimas da sociedade americana são homens, e, então, eles construíram organizações em torno da ansiedade e da raiva dos homens em relação ao feminismo, grupos como o Coalition for Free Men [Coalizão para Homens Livres], o National Congress for Men [Congresso Nacional para Homens], o Men Achieving Liberty and Equality (MALE) [Homens que Alcançam Liberdade e Igualdade] e o Men's Rights Inc. (MR, Inc.) [Direitos dos Homens]. Esses grupos proclamam seu compromisso com a igualdade e com o fim do sexismo – e foi por isso que se viram obrigados a lutar contra o feminismo.[6]

Kimmel observa "uma característica curiosa nessas novas legiões de homens brancos raivosos: embora os homens brancos ainda tenham a maior parte do poder e do controle do mundo, esses homens brancos em particular se sentem vítimas". Ele relaciona esse sentimento de vitimização à perpetuação de um mítico passado patriarcal:

> Essas ideias também refletem um anseio um tanto nostálgico pelo mundo passado, quando os homens acreditavam que poderiam simplesmente tomar seu lugar na elite da nação trabalhando duro e se esforçando. Infelizmente, tal mundo nunca existiu; as elites econômicas sempre conseguiram se reproduzir apesar dos ideais de uma meritocracia. Mas isso não impediu os homens de acreditarem nisso. É o sonho americano. E quando os homens fracassam, são humilhados, sem ter para onde dirigir sua raiva.[7]

A divulgação de um passado hierárquico mítico funciona para criar expectativas irracionais. Quando essas expectativas não são satisfeitas, o que se sente é vitimização.[8]

Aqueles que empregam táticas fascistas aproveitam deliberadamente essa emoção, produzindo um sentimento de vitimização e ressentimento na população, direcionando-o a um grupo que não é responsável por ele e prometendo aliviar esse sentimento com a punição desse grupo. Em seu livro *Down Girl*, Kate Manne ilustra isso fazendo uma distinção entre o patriarcado e a misoginia. Patriarcado, de acordo com Manne, é a ideologia hierárquica que engendra as expectativas irracionais de alto status. A misoginia é o que enfrentam as mulheres, que são culpadas quando as expectativas patriarcais não são cumpridas. A lógica da política fascista tem um modelo incisivo na lógica da misoginia de Manne.

O Breitbart News é um poderoso meio de comunicação norte-americano de extrema direita, repleto de propaganda anti-imigração, apresentando refugiados como ameaças à saúde pública, ameaças à civilização e ameaças à lei e à ordem. Em tais meios de comunicação, encontramos uma expressão clara da maneira com que o sentimento de vitimização das maiorias dominantes pode ser utilizado como arma para potencial ganho político. O Breitbart publicou dezenas de artigos com manchetes relacionadas a refugiados somalis nos Estados Unidos, incluindo alguns com títulos como "296 refugiados diagnosticados com tuberculose ativa em Minnesota, dez vezes mais que em qualquer outro estado" e "Somalis: Os menos educados dos refugiados chegam aos EUA no ano fiscal de 2017". O *Breitbart* era apenas uma parte de uma onda de propaganda nos Estados Unidos nessa época. Num vídeo com três milhões de visualizações desde que foi postado em abril de 2015, Ann Corcoran, do grupo anti-imigração de extrema direita Refugee Resettlement Watch, fala de um plano de "colonização muçulmana" dos Estados Unidos, auxiliado por organizações internacionais como as Nações Unidas, agências federais como o Departamento de Estado dos EUA, e "grupos cristãos e judaicos designados para semeá-los em todo o país". Esses canais espalham um senso de paranoia sobre a existência, entre nós, de uma "quinta-coluna" de grupos "liberais" usando o vocabulário dos direitos humanos para minar as tradições da nação. Mas, ao fazê-lo, eles não só minam os ideais liberais, mas também sugerem que seus alvos devem ser submetidos a um intenso escrutínio ou punição apenas com base no fato de que o grupo dominante se sente temeroso.

***

Entender a dinâmica do poder numa sociedade é crucial para avaliar as alegações de vitimização. O nacionalismo orientado para a igualdade pode rapidamente tornar-se opressivo, se não prestarmos atenção suficiente às mudanças de poder. Alguns sentimentos nacionalistas problemáticos surgem de histórias perfeitamente genuínas de opressão. Os sérvios foram inquestionavelmente oprimidos no passado. E não é preciso voltar à Batalha de Kosovo em 1389, da qual os sérvios extraem muita raiva e sentimentos de identidade nacional, para enfrentar tal opressão; basta a Segunda Guerra Mundial, quando os sérvios foram assassinados em massa em campos de concentração. Os sérvios contemporâneos vêm de famílias capazes de abarcar um legado de perseguição. Nacionalistas sérvios usaram esse pano de fundo para justificar a perseguição de populações muçulmanas locais menos poderosas e mais marginalizadas.

Em 1986, a Academia Sérvia de Artes e Ciências publicou um memorando geralmente considerado como tendo servido de base para os princípios do nacionalismo sérvio tóxico que levou a tanto derramamento de sangue na ex-Iugoslávia. O documento serve como um guia útil para a ligação entre vitimização e sentimento nacionalista opressivo. Na época, a maioria dos moradores da província de Kosovo – de etnia albanesa – solicitava maior autonomia. Os autores do documento descrevem o tratamento albanês em relação às etnias sérvias em Kosovo como um "genocídio físico, político, legal e cultural da população sérvia". Eles declaram: "Nenhuma outra nação iugoslava teve sua integridade cultural e espiritual tão brutalmente esmagada quanto a nação sérvia. Nenhuma outra herança literária e artística foi tão saqueada e devastada quanto a herança sérvia". Eles falam de uma "permanente discriminação econômica" contra a Sérvia e de uma "sujeição econômica" inflexível. Eles declaram que a "política punitiva em relação a essa república não perdeu força com o passar do tempo. Pelo contrário, encorajada por seu próprio sucesso, tornou-se cada vez mais poderosa, ao ponto do genocídio". O documento usa uma narrativa dramaticamente exagerada da vitimização sérvia para solicitar um novo compromisso em relação à defesa dos sérvios, assim como da história e da cultura da Sérvia.

Slobodan Milošević foi presidente da Sérvia de 1989 a 1997. Em 28 de junho de 1989, Milošević fez um discurso para uma vasta multidão reunida no campo de batalha da Batalha de Kosovo, na celebração de seus seiscentos anos. Milošević atribuiu a derrota sérvia nas mãos dos otomanos na Batalha de Kosovo, bem como "o destino que a Sérvia teve de enfrentar durante seis séculos", à falta de unidade sérvia – isto é, um fracasso do espírito nacionalista sérvio. No discurso de Milošević, ele disse que o fracasso dos sérvios em termos de orgulho nacionalista levou, ao longo dos séculos, a "humilhação" e "agonia" que vão além do custo do reinado fascista de terror, durante o qual centenas de milhares de sérvios foram mortos. Segundo Milošević, a única maneira de acabar com os séculos de horror era abraçar a unidade nacional – em outras palavras, um programa nacionalista sérvio. A narrativa da vitimização sérvia levou-o à vitória política. Justificou também uma série de guerras brutais, incluindo a de Kosovo, após as quais Milošević foi acusado de genocídio e crimes contra a humanidade pelo Tribunal Penal Internacional, por conta das ações realizadas contra a população albanesa de Kosovo. Não há dúvida de que os sérvios foram, no passado, oprimidos por diversas forças. Pouco importava que muitos dos grupos que Milošević visava não fossem realmente responsáveis por qualquer opressão dos sérvios. A história recente da Sérvia sob influência de nacionalistas demagógicos mostra como uma história de opressão passada pode ser manipulada na política fascista para a mobilização militar contra inimigos fantasmas.

A vitimização é uma emoção avassaladora que também oculta a contradição entre movimentos nacionalistas movidos pela igualdade e movimentos nacionalistas movidos pela dominação. Quando grupos no poder usam a máscara do nacionalismo dos oprimidos, ou da opressão genuína no passado, para promover sua própria hegemonia, eles a estão usando para solapar a igualdade. Quando a direita israelense usa a inquestionável história da opressão judaica para afirmar o domínio judaico sobre terras e vidas palestinas, ela está recorrendo ao sentimento de vitimização para obscurecer a contradição entre uma luta por direitos iguais e uma luta por dominação. A opressão é um poderoso motivador de ações, mas as questões de quem a está exercendo, quando, em que contexto e contra quem, continuam sendo eternamente cruciais.

***

O nacionalismo está no cerne do fascismo. O líder fascista emprega um sentimento de vitimização coletiva para criar uma noção de identidade de grupo que é, por sua natureza, oposto ao ethos cosmopolita e ao individualismo da democracia liberal. A identidade do grupo pode se basear em diversos elementos – na cor da pele, na religião, na tradição, na origem étnica. Mas é sempre contrastado com um "outro", contra o qual a nação se define. O nacionalismo fascista cria um "eles" perigoso, contra o qual devemos nos proteger, às vezes combater, controlar, a fim de restaurar a dignidade do grupo.

Em 12 de outubro de 2017, o primeiro-ministro húngaro, Viktor Orbán, fez um discurso no International Consultation on Christian Persecution [Conselho Internacional sobre Perseguição Cristã] em Budapeste. Ele começa falando da perseguição "indubitavelmente injusta" aos cristãos na Europa, por ele classificada como "discriminatória" e "dolorosa". Depois de exaltar o papel tradicional da Hungria como defensora da Europa cristã, ele declara: "Hoje, é um fato que o cristianismo é a religião mais perseguida do mundo", o que, segundo ele, coloca em risco o "futuro do modo de vida europeu e de nossa identidade". De acordo com ele, "o maior perigo que nós [europeus] enfrentamos hoje em dia é o silêncio indiferente e apático de uma Europa que nega suas raízes cristãs". A manifestação dessa indiferença potencialmente catastrófica às raízes cristãs da Europa se dá na forma de generosas políticas de imigração europeias: "Um grupo de líderes intelectuais e políticos europeus deseja criar uma sociedade mista na Europa que, dentro de poucas gerações, transformará completamente a composição cultural e étnica de nosso continente e, consequentemente, sua identidade cristã".

No discurso de Orbán, temos todos os elementos da vitimologia da política fascista. Orbán desperta o medo irracional de imigrantes, usando o passado mítico da Hungria como suposta defensora do cristianismo europeu para se apresentar como o líder guerreiro que é corajoso o suficiente para defender a Europa cristã, ameaçada pelas elites liberais ("líderes intelectuais e políticos europeus") que deixariam "a religião mais perseguida do mundo" ser solapada de dentro para fora, ao permitir a entrada de uma onda de imigrantes. Os refugiados de brutais guerras estrangeiras são, a seus olhos, uma poderosa força invasora que procura estabelecer uma "quinta-coluna" dentro das muralhas da Europa cristã. Orbán pede a seu público que repudie os "direitos humanos" (ignorando seu lugar no cristianismo) e outros conceitos ultrapassados. Como vítimas de perseguição, ele insta seu público a apoiá-lo enquanto ele devolve a Hungria a seu glorioso passado como o mítico defensor da Europa cristã contra as hordas bárbaras e sem lei.

7

LEI E ORDEM

Em 1989, cinco adolescentes negros – os "Central Park Five" – foram presos pelo estupro coletivo de uma mulher branca no Central Park, em Nova York. Os jornais da época estavam cheios de relatos chocantes de adolescentes negros fora da lei e selvagens que atacavam e estupravam mulheres brancas. Na ocasião, Donald Trump publicou anúncios de página inteira em vários jornais de Nova York, descrevendo-os como "malucos desajustados" e pedindo sua execução. Posteriormente, constatou-se não somente que os cinco adolescentes do Central Park eram inocentes, mas que muitos dos envolvidos em sua acusação sabiam disso. Anos depois, os cinco homens foram totalmente exonerados e receberam uma indenização em dinheiro da cidade de Nova York.

Em novembro de 2016, Jeff Sessions, atual procurador-geral dos EUA, elogiou os comentários de 1989 do presidente eleito Donald Trump sobre os cinco do Central Park, demonstrando seu compromisso com "a lei e a ordem". Essa é uma compreensão extraordinária de lei e ordem, não só porque os adolescentes eram, de fato, completamente inocentes, mas porque as palavras de Trump não deixavam espaço para o caso ser tratado no devido processo legal. Normas de lei e ordem num estado democrático liberal são fundamentalmente justas. O uso da frase "lei e ordem" por Sessions, ao contrário, parece se referir a um sistema de leis que declara que os jovens negros são, em sua própria *existência*, violações de lei e ordem.

***

Um Estado democrático saudável é governado por leis que tratam todos os cidadãos de forma igual e justa, apoiados por laços de respeito mútuo entre as pessoas, incluindo aqueles encarregados de policiá-los. A retórica fascista de lei e ordem é explicitamente destinada a dividir os cidadãos em duas classes: aqueles que fazem parte da nação escolhida, que são seguidores de leis por natureza, e aqueles que não fazem parte da nação escolhida, que são inerentemente sem lei. Na política fascista, mulheres que não se encaixam em papéis de gênero tradicionais, indivíduos não brancos, homossexuais, imigrantes, "cosmopolitas decadentes", aqueles que não defendem a religião dominante, são, pelo simples fato de existirem, violações da lei e da ordem. Ao descrever os americanos negros como uma ameaça à lei e à ordem, os demagogos nos Estados Unidos conseguiram criar uma forte noção de identidade nacional branca que requer proteção contra a "ameaça" não branca. Agora, uma tática similar é usada internacionalmente para criar distinções entre amigo e inimigo com base no medo, a fim de unir as populações contra os imigrantes.

***

A história do nacional-socialismo é um exemplo clássico da formação de uma identidade nacional pela política fascista. A partir da década de 1880, uma versão do nacionalismo étnico desenvolveu-se na Áustria e na Alemanha, constituindo a fonte em que o movimento nacional-socialista bebeu. O movimento *Völkisch* enraizou-se numa noção romantizada de pureza étnica do *Volk* [povo] alemão. O antissemitismo funcionava dentro do pensamento *völkisch* como parte da definição do *Volk* alemão; os *Volks* eram definidos em contraste com seus inimigos, os judeus. Os nacional-socialistas também usaram o que certamente é o método mais comum de semear o medo sobre um grupo minoritário: pintando-os como ameaças à lei e à ordem.

Na primavera de 1936, minha avó, Ilse Stanley, tinha acabado de voltar de uma turnê teatral que a manteve longe de Berlim durante quase todo o inverno, encontrando uma cidade da qual "cada vez mais amigos desapareciam". Pouco tempo depois de sua volta, uma prima chegou em sua casa. A Gestapo, a prima lhe disse, levara seu marido para um campo de concentração. Em seu livro de memórias de 1957, *The Unforgotten* [Os que não foram esquecidos], minha avó descreve a pergunta que fez à sua prima sobre as razões da prisão do marido. Sua resposta:

> Porque ele era um criminoso com antecedentes. Ele pagara duas multas no tribunal: uma por excesso de velocidade e outra por alguma outra infração de trânsito. Disseram que finalmente queriam fazer o que o tribunal havia deixado de fazer todos esses anos: livrar-se de todos os judeus com antecedentes

criminais. Uma multa de trânsito – um antecedente criminal!

A primeira metade do livro da minha avó é um cuidadoso relato dos anos que se seguiram à ascensão de Hitler ao poder. Ela documenta como foi difícil fazer com que a comunidade judaica alemã entendesse o perigo que enfrentavam. Ela entendeu esse perigo internamente devido a seu trabalho de resgatar prisioneiros do campo de concentração de Sachsenhausen disfarçada de assistente social nazista. Por conta do que testemunhou no campo, ela estava ciente, ao contrário de muitos de seus colegas judeus, do horror hediondo que estava ocorrendo, que era – como acontece com os centros de detenção de imigrantes e refugiados nos Estados Unidos agora – escondido da população em geral. Ela escreve repetidamente sobre a dificuldade de convencer amigos e familiares a partir. Afinal, a maioria dos judeus alemães não se considerava criminosa.

Em fevereiro de 2016, o SVP (o Schweizerische Volkspartei), de extrema direita, apresentou um referendo na Suíça para expulsar "imigrantes", inclusive residentes de segunda ou terceira geração nascidos na Suíça, considerados culpados por algumas violações de estacionamento. Parecia certo que o referendo seria aprovado. Em parte por causa dos esforços da Operação Libero, um grupo fundado por estudantes suíços que se organizaram para mudar a narrativa de deportação de "imigrantes criminosos", o referendo foi vetado.

Nos Estados Unidos, Donald Trump chegou à presidência com um apelo para expulsar "estrangeiros criminosos". Desde que assumiu o cargo, ele continua perseguindo imigrantes. Tanto ele quanto sua administração alimentam o medo em relação aos imigrantes, vinculando-os à criminalidade. Repetidas vezes somos apresentados ao espectro de "estrangeiros criminosos" – e não apenas em comentários, mas também em documentos oficiais, como o anúncio de um novo gabinete no Departamento de Segurança Interna dedicado a ajudar "vítimas de crimes cometidos por estrangeiros criminosos".

A palavra "criminoso" tem um significado literal, claro, mas também tem um significado paralelo: pessoas que, por sua natureza, são insensíveis às normas da sociedade, propensas a violar a lei por interesse próprio ou maldade. Geralmente não usamos o termo para descrever aqueles que inadvertidamente infringiram uma lei ou que podem ter sido obrigados a violar uma lei numa circunstância de desespero. Alguém que corre para pegar um ônibus não é um corredor; alguém que comete um crime, portanto, não é um criminoso. A palavra "criminoso" atribui um certo tipo de *caráter* a alguém.

Psicólogos estudaram uma prática que chamam de viés linguístico intergrupal. Tendemos a descrever as ações daqueles que consideramos como um de "nós" de forma bem diferente da que usamos para descrever as ações daqueles que consideramos como "eles". Se alguém que consideramos um de "nós" fizer algo mau – por exemplo, roubar uma barra de chocolate –, tendemos a descrever a ação em termos concretos. Em outras palavras, se meu amigo Daniel roubar uma barra de chocolate, eu provavelmente caracterizarei o que ele fez como "roubou uma barra de chocolate". Mas se alguém que consideramos como "eles" fizer a mesma coisa, nossa tendência é descrever a ação de forma mais abstrata, atribuindo traços de caráter ruins à pessoa que a realizou. Se Jerome, que é considerado "eles", roubar uma barra de chocolate, é muito mais provável que ele seja descrito como ladrão ou criminoso. Se um americano branco vir outro americano branco bem-vestido algemado na parte de trás de um carro da polícia, a pergunta que lhe virá à mente talvez seja o que terá acontecido para causar aquela prisão específica. Mas se um americano branco vir um americano negro algemado no banco de trás de um carro da polícia, a pergunta que se apresentará pode ser como a polícia conseguiu pegar "aquele criminoso".

O mesmo vale para boas ações. Se alguém que consideramos como um de "nós" fizer uma boa ação, estaremos inclinados a explicar o que aconteceu atribuindo a ação a bons traços de caráter da pessoa em questão. O ato de Daniel dar uma barra de chocolate para uma criança é descrito como um exemplo de "generosidade de Daniel". O ato de Jerome dar uma barra de chocolate para uma criança é descrito em termos concretos: "Aquele cara acabou de dar uma barra de chocolate para aquele menino".

Pesquisas sobre viés linguístico intergrupal revelaram que uma audiência pode inferir, com base em como as ações de alguém estão sendo descritas – abstrata ou concretamente – se essa pessoa está sendo categorizada como "nós" ou "eles". Por exemplo, sujeitos experimentais fazem inferências a partir do modo como um indivíduo descreve outro a fim de saber se esse indivíduo é do mesmo partido político que o indivíduo que ele está descrevendo, ou da mesma religião.[1] Descrever alguém como "criminoso" é marcar essa pessoa com um traço de caráter permanente aterrorizante e, ao mesmo tempo, expulsar a pessoa do círculo "nós". *Eles* são criminosos. *Nós* cometemos erros.

Políticos que descrevem categorias inteiras de pessoas como "criminosos" impõem a elas traços permanentes de caráter que são assustadores para a maioria das pessoas, ao mesmo tempo em que se posicionam como nossos protetores. Tal linguagem prejudica o processo democrático de tomada de decisão razoável, substituindo-o por medo. Outro exemplo importante no contexto dos EUA é o uso do termo "tumulto" para descrever os protestos políticos. Nos Estados Unidos, na década de 1960, o movimento dos direitos civis incluía protestos políticos negros em áreas urbanas contra a brutalidade policial (mais notavelmente no bairro de Watts, em Los Angeles, e no distrito do Harlem, em Manhattan). Esses protestos eram descritos na mídia como "tumultos". Como James Baldwin escreveu na época sobre a descrição feita pela mídia dos protestos, "quando os homens brancos se levantam contra a opressão, eles são heróis: quando os negros se levantam, eles voltam à sua selvageria nativa. A insurreição no gueto de Varsóvia não foi descrita como um motim, nem os participantes foram difamados como rufiões: os meninos e meninas de Watts e Harlem estão cientes disso".[2] Tais deturpações permitiram que Richard Nixon concorresse ao cargo em 1968 numa plataforma de "lei e ordem". A administração de Nixon geralmente é vista como a base para o subsequente encarceramento em massa de cidadãos negros americanos.

Em 2015, protestos generalizados de multidões predominantemente negras contra a brutalidade policial ocorreram em Baltimore após o assassinato de Freddie Gray pela polícia. Num artigo para a *Linguistic Pulse*, em abril de 2015, Nic Subtirelu comparou o uso, por parte de diferentes meios de comunicação, do termo "protesto" versus "tumulto" para descrever os protestos de Baltimore. Subtirelu verificou que a Fox News, a mídia de extrema direita dos Estados Unidos, usou "tumulto" em sua cobertura dos distúrbios de Baltimore com mais do que o dobro da frequência de "protesto". A CNN, por outro lado, usou "tumulto" só um pouco mais que "protesto", e a MSNBC usou "protesto" só um pouco mais que "tumulto" em sua cobertura das agitações de Baltimore.[3] A deturpação dos protestos políticos como tumultos foi um fator na campanha eleitoral de Donald Trump, que teve fortes ecos de Nixon. Nixon, no entanto, fez campanha num momento de aumento das taxas de crimes violentos. A bem-sucedida campanha de "lei e ordem" de Trump ocorreu sob as condições de uma das mais baixas taxas de crimes violentos registrados na história dos EUA.

***

Discussões que usam termos como "criminoso" para abranger tanto aqueles que cometem diversos homicídios por prazer quanto aqueles que cometem infrações de trânsito, ou "tumulto" para descrever um protesto político, mudam atitudes e moldam a política. Um bom exemplo do que pode acontecer quando a linguagem que criminaliza um grupo inteiro de pessoas distorce o debate e leva a resultados irracionais é o encarceramento em massa de cidadãos americanos de ascendência africana.

Em 1980, meio milhão de americanos estava na prisão ou na cadeia. Em 2013, havia mais de 2,3 milhões. A explosão do encarceramento afetou desproporcionalmente os cidadãos americanos que são descendentes daqueles que foram escravizados neste país. Os americanos brancos constituem 77% da população dos EUA, e os americanos negros, 13%. No entanto, mais americanos negros são encarcerados do que americanos brancos. Raramente na história um grupo representou tão grande parte da população carcerária do mundo; os americanos negros podem ser apenas 13% da população dos EUA, mas representam 9% da população carcerária do *mundo.*

Se o sistema jurídico dos Estados Unidos fosse justo, e se os 38 milhões de negros fossem tão propensos ao crime quanto qualquer outro grupo étnico no mundo (os 61 milhões de italianos, por exemplo, ou os 45 milhões de hindus gujarati), seria de se esperar que os negros americanos também representassem cerca de 9% da população mundial estimada, em 2013, de 7,135 bilhões de pessoas. Então, haveria muito mais de 600 milhões de americanos negros no mundo. Se você acha que os negros americanos são como qualquer outra pessoa, então a nação da América negra deveria ser a terceira maior nação do mundo, duas vezes maior que a dos Estados Unidos. É claro que você ainda pode pensar, diante desses fatos, que as leis penitenciárias dos Estados Unidos são aplicadas justamente e cegas para a cor. Mas, nesse caso, você quase certamente deve acreditar que os negros americanos estão entre os grupos mais perigosos nos milhares de anos da história da civilização humana.

Nos Estados Unidos, o aumento acentuado dos índices de encarceramento acompanhou uma queda acentuada do crime. Num ensaio de 2017, "The Impacts of Incarceration on Crime" [Os impactos do encarceramento no crime], seu autor, David Roodman, observa que "o aumento de 59% no encarceramento entre 1990 e 2010 acompanhou uma queda de 42% nos crimes indexados pelo FBI".[4] E, no entanto, como Roodman bem observa, "os pesquisadores concordam que colocar mais pessoas atrás das grades contribuiu modestamente, na melhor das hipóteses, para a diminuição do crime". Por um lado, o Canadá teve um padrão muito semelhante ao dos Estados Unidos, com uma queda vertiginosa nas taxas de criminalidade desde a década de 1990. No entanto, a taxa de encarceramento do Canadá não acompanhou a escalada da experiência americana de encarceramento em massa que continuou durante os anos 90. Se há uma explicação para a queda geral da criminalidade na América do Norte desde 1990 que explica a diminuição similar de crimes nos EUA e no Canadá, não é o aumento do encarceramento.

A principal razão pela qual muitos pesquisadores duvidam de uma relação entre um aumento no encarceramento e uma queda nas taxas de criminalidade é porque os estudos indicam que o próprio encarceramento contribui substancialmente para um aumento nas taxas de criminalidade. Indivíduos que já foram encarcerados têm muito mais dificuldade de encontrar emprego; esse efeito é multiplicado, como veremos no capítulo final, no caso dos negros americanos. Cidadãos anteriormente encarcerados também têm uma taxa de participação cívica drasticamente menor; eles acabam se afastando da sociedade civil.[5] O encarceramento também tem um impacto negativo nas famílias dos encarcerados, aumentando a probabilidade de subsequente encarceramento. Negros americanos enfrentam maior risco de encarceramento em comparação com os brancos pelo mesmo crime, como evidenciado, por exemplo, nas taxas muito diferentes de encarceramento por crimes de drogas. Estudos também sugerem que o próprio encarceramento leva ao crime – Roodman sintetiza esse efeito dizendo: “Mais tempo na prisão, mais crime após a prisão”.

Mas a questão mais importante é: por que medidas duramente punitivas são consideradas uma resposta apropriada a condições sociais adversas entre os negros americanos? Quando uma comunidade tem uma taxa de criminalidade particularmente alta, há claramente um problema social que exige empatia e compreensão, e uma necessidade urgente de políticas que abordem as causas estruturais subjacentes. A questão mais importante, então, é: qual é a fonte da falta generalizada de empatia por esse grupo?

Nesse contexto, pare por um momento para considerar a empatia que está em jogo quando a “crise dos opiáceos” contemporânea é abordada na mídia dos EUA. A crise dos opiáceos não é descrita como motivada por antros de ópio viciosos e aterrorizantes. Nem são os viciados em opiáceos definidos como criminosos. Na verdade, a mídia, os políticos, os comentários sociais, a comunidade médica e até mesmo o presidente Trump abordam a dependência de drogas, sim, como uma crise, mas como uma epidemia de saúde pública e não como um problema diretamente ligado à lei e à ordem. A crise dos opiáceos não está associada aos cidadãos afro-americanos; está associada à base de Trump, brancos rurais e operários brancos sem trabalho. Em suma, uma análise pública complicada e compassiva da dependência de opiáceos está em jogo no discurso público dos EUA, e iniciativas federais e estaduais estão focadas em prevenção e tratamento. Se ao menos uma análise desse tipo tivesse sido aplicada a cidadãos afro-americanos quando a dependência de drogas parecia estar associada a eles! O vício dos cidadãos de todas as raças, classes e grupos deve ser abordado com compaixão, empatia e os valores liberais da dignidade e igualdade humanas.

Em 1896, Frederick L. Hoffman publicou o livro *Race Traits and Tendencies of the American Negro* [Traços e tendências raciais do negro americano], que o historiador Khalil Gibran Muhammad descreve como: "Indiscutivelmente, o estudo de raça e crime mais influente da primeira metade do século XX". A tese do livro é que os americanos negros são especialmente violentos, preguiçosos e propensos a doenças. Em 1996, William J. Bennett, John J. Dilulio Jr. e John P. Walters publicaram o livro *Body Count: Moral Poverty... and How to Win America's War Against Crime and Drugs* [Número de mortos: Pobreza moral... e como vencer a guerra americana contra o crime e as drogas]. Sua tese é a de que a América enfrenta uma ameaça única de uma nova geração de jovens, dos quais uma grande porcentagem é negra, especialmente propensos a atos violentos e cruéis e incapazes de trabalhar honestamente; esses jovens são chamados de "superpredadores". O livro adverte para uma onda de violência juvenil por parte desses "superpredadores" (a onda, evidentemente, não se materializou; o crime violento despencou nos anos seguintes, em vez de aumentar). Essas duas obras guardam um século de pseudociência que forja um elo na consciência americana entre a criminalidade e os americanos descendentes de africanos escravizados. Apesar da diferença de um século entre eles, os dois livros são notavelmente semelhantes: ambos usam a linguagem sóbria das estatísticas para aumentar o pânico moral sobre uma onda de violência racializada (*Body Count*, ao contrário do livro de Hoffman, fundamenta suas falsas previsões em alegações sobre a "pobreza moral" da "cultura urbana", e não na genética).

Em essência, desde que existem americanos negros, eles desafiam a tentativa pseudocientífica de "atribuir crime a raça". Em seu ensaio de 1898, "The Study of the Negro Problems" [O estudo dos problemas dos negros], W.E.B. Du Bois lamentou os

> intermináveis julgamentos finais sobre o negro americano, provenientes de homens influentes e instruídos, em face do fato conhecido por todo estudante que se preze, de que não existe hoje suficiente material de confiabilidade comprovada no qual um cientista possa basear conclusões cabais quanto às condições e tendências atuais dos oito milhões de negros americanos; e de que qualquer pessoa ou publicação que pretenda apresentar tais conclusões está simplesmente fazendo declarações que vão além da evidência razoavelmente comprovada.[6]

Du Bois enfatiza aqui a grande lacuna entre o que os cientistas sociais sabem e os fatos em si, uma lacuna que está sujeita ao que o filósofo escocês Alasdair MacIntyre chamou de "expertise manipuladora". As palavras de Du Bois continuam sendo verdadeiras até hoje.

Um exemplo particularmente importante de expertise manipuladora, que é tão perturbador quanto revelador, é a "teoria superpredadora" introduzida, pelo menos em sua versão contemporânea, por um coautor do *Body Count*, John Dilulio Jr., professor de ciência política em Princeton na época, numa bem-sucedida tentativa de defender sentenças de prisão para adolescentes infratores. A teoria postulava um grupo de "superpredadores" com naturezas intrinsecamente violentas, que "matam, violam, mutilam e roubam sem remorso" e para o qual a regeneração não é uma opção. Em *Body Count*, assim como outras publicações, Dilulio previa um grande aumento nos crimes violentos nos Estados Unidos de 1995 a 2000, em consequência do (misterioso) desenvolvimento de uma onda de "superpredadores" que estava entrando na sociedade. Sua previsão foi considerada crível, apesar do fato de que os crimes violentos nos Estados Unidos começaram a cair no início da década de 1990 e continuaram caindo de 1995 a 2000. Dilulio falava com muito mais certeza do que as evidências justificavam. Alguém poderia suspeitar que este é um caso em que uma ideologia de fundo vinculando raça e crime explica a grande lacuna entre as evidências e as interpretações dos sociólogos.

A teoria teve um grande efeito no discurso público. Nas eleições de 1996, os candidatos à presidência dos EUA Bill Clinton e Bob Dole competiram para ver quem seria mais duro com esses "superpredadores". Embora seus efeitos sejam difíceis de quantificar, parece claro que a teoria contribuiu muito para a adoção de políticas constitucionais severas e duvidosas que responsabilizam jovens como se fossem adultos. A aplicação racialmente assimétrica dessas leis foi bem documentada; por exemplo, um relatório do Sentencing Project de 2012 mostra que eram negros 940 dos 1.579 entrevistados cumprindo prisão perpétua sem liberdade condicional por crimes cometidos na juventude. A teoria dos superpredadores contribuiu para uma cultura pública na qual os jovens negros são vistos como significativamente mais culpados do que os jovens brancos.

A linguagem demagógica não afeta apenas o discurso público. Tem efeitos bem documentados e profundos sobre o julgamento e a percepção de toda a população. Um criminoso é alguém cujo caráter é deficiente, que, por natureza, está além da ajuda da sociedade. O trabalho de Jennifer Eberhardt em psicologia social ajudou a documentar os efeitos de 150 anos de propaganda racial vinculando americanos negros a uma criminalidade irredimível. Num artigo de 2012, Eberhardt, junto com as coautoras Aneeta Rattan, Cynthia Levine e Carol Dweck, apresentaram a participantes brancos informações factuais sobre um caso da Suprema Corte que decidia a constitucionalidade da prisão perpétua sem liberdade condicional para jovens infratores.[7] Nos materiais que os participantes receberam, havia à guisa de exemplo a descrição de um jovem, "um rapaz de quatorze anos de idade, com dezessete condenações juvenis anteriores em seu registro, que estuprou brutalmente uma mulher idosa". O jovem era descrito como "um homem negro" ou "um homem branco". Depois de receber essa informação, os participantes foram questionados: "Até que ponto você apoia sentenças de prisão perpétua sem possibilidade de liberdade condicional para jovens quando eles foram condenados por graves crimes violentos (nos quais ninguém morreu)?" e foram orientados a classificar suas respostas numa escala de 1 ("totalmente") a 6 ("não apoio"). Aqueles que receberam a descrição do "homem de 14 anos de idade" como negro se mostraram significativamente mais propensos a apoiar penas de prisão perpétua sem possibilidade de liberdade condicional para jovens.

Num artigo de 2014, "Racial Disparities in Incarceration Increase Acceptance of Punitive Policies" [Disparidades raciais no encarceramento aumentam a aceitação de políticas punitivas], Eberhardt e a coautora Rebecca Hetey solicitaram a uma pesquisadora branca que apresentasse a eleitores brancos registrados na Califórnia a rigorosa lei "three-strikes" [três infrações] daquele estado, bem como uma petição para emenda.[8] De acordo com a lei da Califórnia, aprovada em 1994, se alguém tivesse dois crimes sérios anteriores, não importa quando eles ocorreram, uma "terceira infração", mesmo que pequena como roubar "um dólar em moedas de um carro estacionado" resultaria numa sentença obrigatória de vinte e cinco anos a prisão perpétua. A petição proposta alteraria a lei, exigindo que a terceira infração fosse necessariamente um crime violento.

Antes de apresentar a petição aos participantes, a pesquisadora mostrou a eles um vídeo de quarenta segundos com oitenta fotos de prisioneiros, tanto negros quanto brancos. Em um dos vídeos, 45% dos rostos eram negros (a "condição 'mais negros'"). No outro vídeo, 25% dos rostos eram negros (a "condição 'menos negros'"). Na "condição 'menos negros'", 51% dos participantes assinaram a petição. Apenas 27% assinaram a petição na "condição 'mais negros'". O trabalho de Eberhardt é apenas o mais recente num grande conjunto de pesquisas mostrando que o encarceramento em massa de afro-americanos tem suas raízes na propaganda racista dos tempos da escravidão, que considera os membros desse grupo como criminosos irremediáveis. O resultado foi uma sobrerrepresentação massiva, em escala histórica, desse grupo na população carcerária dos EUA.

A propaganda fascista, evidentemente, não apresenta somente membros de grupos-alvo como criminosos. Para garantir o tipo certo de pânico moral sobre esses grupos, seus membros são apresentados como *tipos* particulares de ameaça à nação fascista – geralmente, uma ameaça à sua pureza. Consequentemente, a política fascista também enfatiza um tipo de crime. A ameaça básica que a propaganda fascista usa para aumentar o medo é que os membros do grupo-alvo estuprarão os membros da nação escolhida, poluindo assim seu "sangue". A ameaça de estupro em massa é, ao mesmo tempo, uma ameaça às normas patriarcais do Estado fascista, à "masculinidade" da nação. O crime de estupro é um elemento básico da política fascista porque aumenta a *ansiedade sexual* e a necessidade de proteção da masculinidade da nação pela autoridade fascista.

8

ANSIEDADE SEXUAL

Se o demagogo é o pai da nação, então qualquer ameaça à masculinidade patriarcal e à família tradicional enfraquece a visão fascista de força. Essas ameaças incluem os crimes de estupro e agressão, assim como o chamado desvio sexual. A política da ansiedade sexual é particularmente eficaz quando os papéis masculinos tradicionais, como o de provedor familiar, já estão sob a ameaça das forças econômicas.

A propaganda fascista promove o medo de cruzar e misturar raças, de corromper a nação pura – nas palavras de Charles Lindbergh, falando para o movimento America First – com "sangue inferior". A propaganda fascista amplia esse medo ao sexualizar a ameaça do outro. Como a política fascista tem, na sua base, a tradicional família patriarcal, ela é naturalmente acompanhada de pânico sobre os desvios dessa família patriarcal. Transgêneros e homossexuais são usados para aumentar a ansiedade e o pânico sobre a ameaça aos papéis masculinos tradicionais.

***

Em seu artigo de 1970, "The 'Black Horror on the Rhine': Race as a Factor in Post-World War I Diplomacy" [O "horror negro no Reno": A raça como um fator na diplomacia pós-Primeira Guerra Mundial], o historiador Keith Nelson documenta a histeria coletiva que tomou conta da Alemanha em relação aos soldados africanos que serviam entre as tropas francesas que ocuparam a região da Renânia a partir de 1919.[1] A propaganda alemã sobre o suposto estupro em massa de mulheres alemãs por soldados franceses das colônias africanas se espalhou rapidamente, e contou com artigos traduzidos para quase todas as línguas europeias, inclusive esperanto. O governo alemão divulgou fantasias raciais de violação em massa de mulheres brancas por homens negros como meio de combater a ocupação francesa. Essa propaganda foi particularmente bem-sucedida nos Estados Unidos, "racialmente sensíveis". Um grupo que se autodenominava Campanha Americana Contra o Horror no Reno" publicou dez mil panfletos usando dinheiro "doado por americanos ricos de origem alemã e irlandesa", e uma manifestação contra "O horror no Reno" em 28 de fevereiro de 1921 atraiu uma multidão de doze mil pessoas ao Madison Square Garden em Nova York. Nelson escreve:

> Da mesma forma, um jovem nacionalista alemão chamado Adolf Hitler não poderia abandonar o pensamento de que "7.000.000 [de pessoas] definham sob domínio estrangeiro, e a principal artéria do povo alemão flui no playground de hordas de africanos negros [...]. Foram e continuam sendo os judeus que trazem o negro para o Reno, sempre com o mesmo pensamento oculto e o claro objetivo de destruir pela

bastardização, que necessariamente se instalaria, a raça branca que eles odeiam".

De acordo com Hitler, os judeus estavam por trás de uma conspiração que usaria soldados negros para violar mulheres arianas puras como um meio de destruir a "raça branca". Essa também era uma teoria conspiratória compartilhada pela Ku Klux Klan americana na década de 1920, que fantasiava abertamente sobre os judeus tramando intencionalmente o estupro em massa de mulheres brancas por homens negros para acabar com a raça branca nos Estados Unidos.

"Na história dos Estados Unidos, a falsa acusação de estupro se destaca como um dos mais formidáveis artifícios inventados pelo racismo", escreve a ativista Angela Davis. "O mito do estuprador negro foi metodicamente invocado sempre que ondas recorrentes de violência e terror contra a comunidade negra exigiram uma justificativa convincente".[2] A prática de linchar homens negros nos Estados Unidos justificava-se alegando a necessidade de defender a pureza das mulheres americanas brancas; nas palavras da historiadora Cristal Feimster, "os homens brancos do Sul [mobilizaram ativamente] a imagem do estuprador negro para obterem vantagem política".[3] O senador da Carolina do Sul, Benjamin Tillman, disse no plenário do Senado que "os pobres africanos se tornaram um demônio, um animal selvagem procurando quem possa devorar, enchendo nossas penitenciárias e nossas prisões, espreitando para ver se alguma mulher branca indefesa pode ser assassinada ou brutalizada". Não foram apenas os *homens* brancos que, com sua ansiedade sexual e demagogia em relação aos homens negros, levaram à terrível série de linchamentos maciços de homens negros americanos durante décadas. Rebecca Latimer Felton foi a primeira mulher a ser senadora dos EUA, após uma longa carreira pública, por nomeação (por um dia) em 1922. Defensora declarada dos direitos das mulheres (brancas), ela também colocou lenha na fogueira do racismo em sua carreira, chegando a dizer num discurso de 1897, sobre o suposto perigo dos estupradores negros: "Se for preciso linchamento para proteger o que as mulheres têm de mais valioso de feras bêbadas e vorazes, pode linchar mil vezes por semana".

A grande missionária antilinchamento, Ida B. Wells, tentou contrapor essa narrativa em seus dois folhetos, "Southern Horrors: Lynch Law in All Its Phases" [Horrores do sul: Lei de linchamento em todas as suas fases] (1892) e "A Red Record: Tabulated Statistics and Alleged Causes of Lynchings in the United States 1892-1893-1894" [Um registro vermelho: estatísticas tabuladas e supostas causas de linchamentos nos Estados Unidos 1892-1893-1894] (1894). As descobertas de Wells, de que a maioria das vítimas de linchamento não havia sido sequer acusada de estupro, foram recebidas com incredulidade generalizada, conforme documentaram muitos historiadores.[4] Os brancos dos Estados Unidos presumiam que havia uma epidemia de estupro em massa perpetrada por homens negros a mulheres brancas que justificava os horrores do linchamento, porque isso dava um sentido racional ao medo e à ansiedade que eles sentiam sobre a potencial perda de status associada à aceitação de seus concidadãos negros como iguais. Onde a ansiedade sexual pode parecer extrema, paranoica ou abstrata, muitas vezes há por trás dela uma insegurança mais tangível à espreita.

Esses medos vivenciados nos Estados Unidos nos séculos XIX e XX se repetiram em todo o mundo. No outono de 2017, uma das piores campanhas de limpeza étnica desde a Segunda Guerra Mundial varreu Mianmar, atingindo o povo rohingya daquele país, uma população de muçulmanos que não professa a religião budista da maioria. Centenas de vilarejos rohingya foram totalmente queimados, e massacres e brutais estupros em massa levaram à fuga de mais de meio milhão de rohingyas para Bangladesh. A indescritível e bárbara campanha de limpeza étnica contra o povo rohingya tem suas origens recentes em distúrbios que começaram em junho de 2012 com o estupro e assassinato de uma jovem budista por vários homens rohingya. Em 2014, rumores nas mídias sociais sobre o estupro de outra mulher budista levaram a mais violência. Em geral, o genocídio contra os rohingyas foi alimentado por teorias paranoicas de esquemas sexuais muçulmanos para atacar as mulheres budistas; um artigo de 2014 do *Los Angeles Daily News* relatando da situação foi publicado com a seguinte manchete: JUSTICEIROS BUDISTAS EM MIANMAR ESTÃO PROVOCANDO DISTÚRBIOS COM SÉRIOS RUMORES DE PREDADORES SEXUAIS MUÇULMANOS. Em entrevistas com especialistas em Myanmar, o artigo documenta uma longa história de propaganda extremista budista sobre "homens muçulmanos tramando contra suas mulheres".

Na Índia, os nacionalistas hindus alimentam o sentimento antimuçulmano com campanhas que chamam a atenção para a suposta ameaça que os homens muçulmanos representam para a masculinidade hindu. Mais recentemente, isso tomou a forma de pânico sobre uma suposta "jihad de amor". Num artigo publicado no *Indian Express* em agosto de 2014, a historiadora indiana Charu Gupta chama a atenção para "uma campanha agressiva e sistemática", incluindo "manifestações de conscientização" organizadas pelo RSS (Rashtriya Swayamsevak Sangh) e algumas facções do partido nacionalista hindu dominante, o BJP (Bharatiya Janata Party), sobre o suposto movimento "jihad de amor", que, de acordo com o BJP, compelia as mulheres hindus a se converterem ao islamismo por meio do casamento e do engano.[5] Gupta acrescenta que essas campanhas são baseadas em princípios desagregadores sustentados por "referências constantes e repetitivas às energias agressivas e libidinais do homem muçulmano, criando um 'outro inimigo' em comum". Ela critica a perda de "faculdades lógicas hindus" em face de uma "política de virgindade cultural e um mito de inocência" que são "combinados com uma percepção de 'ilegitimidade' do ato, levando a violações, invasões, seduções e estupro".

Nos Estados Unidos, no momento em que este texto está sendo escrito, vemos também uma perda de "faculdades lógicas" diante de uma enxurrada de propaganda vinculando grupos de imigrantes ao estupro. Trump começou sua campanha denunciando imigrantes mexicanos nos Estados Unidos como estupradores. Num artigo para o *New York Times* em 26 de setembro de 2017, Caitlin Dickerson escreveu sobre o que aconteceu na pequena cidade de Twin Falls, Idaho, onde três garotos refugiados, de sete, dez e catorze anos, foram acusados de cometerem algum tipo de abuso sexual com uma menina americana de cinco anos de idade. Imediatamente após o incidente, formaram-se grupos no Facebook, com links para artigos na Internet, afirmando que "a menina tinha sido estuprada por uma gangue, sendo ameaçada com uma faca, que os autores eram refugiados sírios e que seus pais os haviam parabenizado posteriormente, fazendo *high five*". Logo depois disso, a manchete do Drudge Report, um dos sites mais visitados da Internet, anunciava: "REPORT: Syrian 'Refugees' Rape Little Girl at Knifepoint in Idaho" [EXTRA: "Refugiados" sírios estupram menina à ponta de faca em Idaho". Os artigos eram todos falsos – em primeiro lugar, como Dickerson relata, nenhum refugiado sírio foi reassentado em Twin Falls. Não está claro se houve algum ataque (um policial, baseando-se no vídeo de celular do incidente, chamou as descrições da Internet de "cem por cento falsas, longe de serem verdadeiras"). Não obstante, as notícias falsas criaram uma onda de intimidação contra funcionários públicos em Twin Falls e uma onda de indignação contra os refugiados na comunidade. Em suma, criaram pânico moral sobre o perigo sexual que os refugiados representam para as meninas brancas americanas, um pânico que ainda não diminuiu.

A retórica sobre a imigração que cercou a campanha de Trump (e continua cercando seu governo) pode ser comparada às táticas dos meios de propaganda russos, que espalharam notícias falsas (assim como fatos descaradamente exagerados) sobre imigrantes do Oriente Médio que estupravam mulheres brancas na Europa. Para dar apenas um exemplo, discutido num artigo do *New York Times* em setembro de 2017 por Jim Rutenberg, os meios de propaganda russos tentaram criar um falso escândalo sobre o suposto estupro de uma menina de treze anos em Berlim por um imigrante do Oriente Médio em 2016. Vários meios de comunicação produziram histórias sobre o suposto estupro, criando indignação entre a comunidade russa alemã, a ponto de setecentas pessoas se reunirem para protestar contra um evento que nunca ocorreu. A cobertura da mídia russa e as notícias falsas russas inflamaram a indignação. O fato de tudo isso espelhar de modo assustador a disseminação da campanha de propaganda alemã na década de 1920 do "Horror Negro no Reno" deveria nos dissuadir de adotar a visão, atualmente em voga, de que esse tipo de "fake news" é uma consequência da revolução moderna nas mídias sociais.

***

A masculinidade patriarcal cria homens com a expectativa de que a sociedade lhes permitirá o papel de únicos protetores e provedores de suas famílias. Em tempos de extrema ansiedade econômica, os homens, já preocupados com a percepção de perda de status resultante do aumento da igualdade de gênero, podem facilmente entrar em pânico por conta de demagogia dirigida contra as minorias sexuais. Aqui a política fascista intencionalmente distorce a fonte de ansiedade. (Um político fascista não tem intenção de abordar as causas básicas das dificuldades econômicas.) A política fascista distorce a ansiedade masculina, acentuada pela ansiedade econômica, transformando-a em temor de que sua família esteja sob ameaça existencial por parte daqueles que rejeitam sua estrutura e suas tradições. Aqui, novamente, a arma usada na política fascista é uma suposta ameaça potencial de agressão sexual.

Em março de 2016, a Assembleia Geral da Carolina do Norte aprovou o projeto de lei House Bill 2, o chamado Bathroom Bill [projeto do banheiro]. A lei exige que os conselhos locais de educação criem "banheiros de ocupação múltipla para um único sexo", o que significa que os transgêneros tinham que usar o banheiro do sexo de nascimento (ou seja, uma menina transexual teria que usar o banheiro de homens). Todo o debate em torno do "projeto do banheiro" focava na ameaça representada pelas meninas transexuais a meninas cisgêneras (não transgêneras). Seus patrocinadores e apoiadores defenderam o projeto argumentando que as meninas transexuais eram provavelmente predadoras sexuais. O governador republicano da Carolina do Norte, Pat McCrory, justificou sua decisão de assinar a lei argumentando que o House Bill 2 era necessário para proteger as mulheres da Carolina do Norte. Legisladores de mais de uma dúzia de estados dos EUA em 2016 consideraram projetos de banheiro criados depois do House Bill 2.

Julia Serano explica em seu clássico trabalho *Whipping Girl* que as mulheres trans, por escolherem a feminilidade, representam uma séria ameaça às ideologias patriarcais:

> Numa hierarquia de gênero centrada no homem, dentro da qual se supõe que os homens são melhores que as mulheres e que a masculinidade é superior à feminilidade, não há maior ameaça do que a existência de mulheres trans, que apesar de terem nascido homens e herdado o privilégio de serem homens, "decidiram" ser mulheres. Ao abraçar nossa própria feminilidade, nós, em certo sentido, lançamos dúvida sobre a suposta supremacia da masculinidade. Para diminuir a ameaça que representamos à hierarquia de gênero centrada no homem, nossa cultura (principalmente através da mídia) usa, para nos preterir, toda tática disponível em seu arsenal de sexismo tradicional.[6]

Desde a publicação original do livro de Serano em 2007, ataques retóricos às mulheres trans passaram a ocupar o centro da política dos EUA. Devido à importância da hierarquia de gênero para a ideologia fascista, o fato de que os políticos têm tentado fomentar a histeria em massa sobre as mulheres trans não surpreende, se esse esforço for entendido como uma manifestação de táticas políticas fascistas e um sinal de que a política fascista busca a dominação. Por outro lado, a crescente aceitação das mulheres trans é uma forte afirmação das normas democráticas liberais.

Lembre-se da importância da família patriarcal para o fascismo: o líder fascista é análogo ao pai patriarcal, o "CEO" da família tradicional. O papel do pai na família patriarcal é proteger a mãe e os filhos. Atacar mulheres trans e apresentar o temido outro como uma ameaça à masculinidade da nação são maneiras de colocar a própria ideia de masculinidade no centro da atenção política, introduzindo gradualmente ideais fascistas de hierarquia e dominação pelo poder físico na esfera pública.

Mária Schmidt é uma historiadora húngara de extrema direita e diretora do museu húngaro Casa do Terror, em Budapeste. Num artigo sobre *Language and Freedom* [Linguagem e liberdade], livro de Schmidt de 2017 que uma professora de linguística da Universidade de Viena, Johanna Laakso, publicou on-line no Hungarian Spectrum, Laakso descreve os inimigos de Schmidt como "imigrantes muçulmanos, elite liberal de esquerda e George Soros".[7] Na mesma análise, Laakso cita as críticas de Schmidt à decisão de Angela Merkel de admitir cerca de um milhão de refugiados sírios na Alemanha e a recepção deles no país. Schmidt escreve:

> Um homem ou menino normal saberá quais são seus deveres e defenderá sua esposa, filha, mãe ou irmã. Só que esses alemães de hoje se tornaram tão controlados mentalmente e tão pouco viris que não são capazes nem mesmo disso.

Schmidt atribui a aceitação de um grande grupo de refugiados sírios na Alemanha ao declínio dos papéis de gênero patriarcais naquele país. O que preenche a grande lacuna da lógica nessa explicação é a suposição de Schmidt de um mítico passado fascista antes do declínio, no qual os homens desempenhavam o papel supostamente tradicional de gênero patriarcal de "proteger" as mulheres da influência estrangeira.

Destacar supostas ameaças à capacidade dos homens de proteger suas mulheres e filhos resolve um problema político difícil para os políticos fascistas. Na democracia liberal, um político que atente explicitamente contra a liberdade e a igualdade não receberá muito apoio. A política da ansiedade sexual é uma maneira de contornar essa questão, em nome da segurança; é uma maneira de atacar e minar os ideais da democracia liberal sem ser vista explicitamente como um ataque.

Ao empregar a política da ansiedade sexual, um líder político apresenta, ainda que indiretamente, a liberdade e a igualdade como ameaças. A expressão da identidade de gênero ou preferência sexual é um exercício de liberdade. Ao apresentar homossexuais ou mulheres transexuais como uma ameaça a mulheres e crianças – e, por extensão, à capacidade dos homens de protegê-las –, a política fascista impugna o ideal liberal de liberdade. O direito de uma mulher de fazer um aborto é também um exercício de liberdade. Ao apresentar o aborto como uma ameaça às crianças – e ao controle dos homens sobre elas –, a política fascista impugna o ideal liberal de liberdade. O direito de uma pessoa de se casar com quem deseja é um exercício de liberdade; apresentar membros de uma religião, ou uma raça, como uma ameaça por causa da possibilidade de um casamento misto, é impugnar o ideal liberal de liberdade.

A política da ansiedade sexual também enfraquece a igualdade. Quando a igualdade é concedida às mulheres, o papel dos homens como únicos provedores de suas famílias é ameaçado. O destaque do desamparo masculino diante das ameaças sexuais a suas esposas e filhos acentua esses sentimentos de ansiedade diante da perda da masculinidade patriarcal. A política da ansiedade sexual é uma forma poderosa de apresentar a liberdade e a igualdade como ameaças fundamentais, sem aparentar explicitamente rejeitá-las. Uma presença marcante de uma política de ansiedade sexual talvez seja o sinal mais evidente da erosão da democracia liberal.

Os políticos, então, voltam sua atenção para os locais das fontes mais notórias e concentradas de desvio sexual e ameaças violentas – os centros urbanos cosmopolitas. No livro de Gênesis, Sodoma e Gomorra são cidades escolhidas por Deus para serem destruídas por causa de sua perversidade e seu pecado. Existe uma controvérsia textual sobre que pecados teriam sido a razão da destruição dessas cidades. Mas, independentemente da erudição, na imaginação histórica, os pecados foram tomados como sendo de natureza sexual, especificamente a homossexualidade. As cidades há muito são tratadas, na retórica e na literatura, como lugares de decadência e pecado, mais particularmente, decadência sexual e pecado. Sodoma e Gomorra são os pontos de referência bíblicos para a fonte da ansiedade sexual, em que a homossexualidade, a mistura racial e outros pecados contra a ideologia fascista têm maior probabilidade de ocorrer.

9

SODOMA E GOMORRA

Naquela tarde, na dacha do antigo oficial, aprendi a atirar com o homem que cria coelhos para comer, mas não tem coragem de matá-los. O amante dos animais, discutindo as atitudes culturais que distinguem essa região, explicou da seguinte maneira: "Por exemplo, se os homossexuais chegassem à nossa cidade, nós os mataríamos".

Nicholas Muellner, *In Most Tides an Island*
[Na maioria das marés, uma ilha]

O capítulo 1 de *Mein Kampf* intitula-se "Minha casa". É um capítulo curto, com apenas três páginas e meia. Nele, Hitler homenageia seu local de nascimento, Braunau am Inn, uma "cidadezinha situada na fronteira entre os dois estados alemães", repleta de orgulho nacionalista alemão e de pessoas trabalhadoras e diligentes. Infelizmente, "pobreza e realidade severa" o levaram para longe de sua idílica cidade natal, e "com uma valise cheia de roupas e artigos de cama e mesa, fui para Viena, cheio de determinação".

O segundo capítulo de *Mein Kampf*, "Meus estudos e lutas em Viena", diz respeito à experiência de Hitler com a maior e mais cosmopolita cidade da Áustria. Viena, de acordo com a primeira página, é uma "cobra venenosa"; para "conhecer suas presas venenosas", é preciso viver lá. Hitler descreve Viena como uma cidade dominada e controlada por judeus, que atacam e insultam a cultura tradicional alemã em favor de uma réplica repugnante e decadente. Hitler denuncia a falta de orgulho nacional alemão em Viena. Acima de tudo, Hitler despreza Viena por seu cosmopolitismo, sua mistura de diferentes grupos culturais e raciais: "Eu odiava a mistura de raças que via na capital. Odiava o conglomerado de tchecos, poloneses, húngaros, rutenos, sérvios, croatas e, acima de tudo, a excrescência fungiforme sempre presente: judeus e mais judeus".[1] Na Alemanha, havia uma tradição romântica na literatura e na cultura que considerava as cidades como a causa de males sociais, e o campo como um elemento purificador. A ideologia nacional-socialista levou isso ao extremo: os valores alemães puros eram valores rurais, próprios da vida camponesa; as cidades, ao contrário, eram locais de corrupção racial, onde o puro sangue nórdico era conspurcado pela mistura com os outros. Como Hitler escreve no segundo capítulo de seu inédito segundo livro:

> um perigo particular da chamada "política econômica pacífica de um povo" reside no fato de que, inicialmente, ela permite um aumento da população que não será mais proporcional à produtividade da própria terra e ao território do povo. Não é incomum

> que essa aglomeração de pessoas demais num *Lebensraum* [espaço vital] inadequado também leve a difíceis problemas sociais. As pessoas agora estão reunidas em centros de trabalho que se assemelham mais a abscessos no corpo do povo do que a locais culturais – lugares onde todos os males, vícios e doenças parecem se unir. Eles são, acima de tudo, focos de mistura de sangue e bastardização, geralmente produzindo a degeneração da raça e resultando naquele rebanho purulento no qual as larvas da comunidade judaica internacional florescem e causam a decadência final do povo.[2]

As denúncias de Hitler às grandes cidades cosmopolitas e suas produções culturais são típicas da política fascista. "Hollywood", ou seu representante local, muitas vezes supostamente controlada por judeus, vive destruindo os valores tradicionais e a cultura ao produzir arte "pervertida". No manifesto de 1930 da Kampfbund für deutsche Kultur (a "sociedade combatente" nacional-socialista da cultura alemã), Alfred Rosenberg emite um "pedido de resistência em relação a todas as tendências do teatro que são prejudiciais para o povo, pois o teatro em quase todas as grandes cidades hoje se tornou cenário de instintos pervertidos. Lutamos contra uma corrupção, cada vez mais disseminada, dos nossos conceitos de justiça, uma corrupção que dá quase total liberdade de ação aos grandes embusteiros para explorar o povo".[3]

***

Enquanto as cidades, para o imaginário fascista, são a fonte da cultura corrompida, geralmente ocasionada por judeus e imigrantes, o campo é puro. A "Declaração oficial do partido sobre sua atitude em relação aos agricultores e à agricultura" foi publicada no jornal nacional-socialista *Völkischer Beobachter* em 1930, com a assinatura de Hitler (embora sua autoria real não seja comprovada). Contém uma declaração concisa da ideologia nazista, de que os verdadeiros valores da nação seriam encontrados na população rural, de que os nacional-socialistas "veem nos fazendeiros os principais portadores de uma hereditariedade folclórica saudável, a fonte da juventude do povo e a espinha dorsal do poder militar". Na política fascista, a agricultura familiar é a pedra angular dos valores da nação, e as comunidades agrícolas familiares são a base de suas forças armadas.[4] Os recursos que fluem para as cidades devem ser redirecionados às comunidades rurais, para preservar esse centro vital dos valores da nação. E as comunidades rurais, como a fonte do sangue puro da nação, não podem ser poluídas por sangue externo via imigração. De acordo com a política oficial nazista, "ao melhorar o lote do trabalhador agrícola doméstico e impedir a fuga da terra, torna-se desnecessária a importação de mão de obra agrícola estrangeira, sendo esta, portanto, proibida".[5]

Uma pesquisa do *Washington Post* em parceria com a Kaiser Foundation de junho de 2017 com cerca de 1,7 mil americanos revelou que "as atitudes em relação aos imigrantes formam um dos maiores abismos entre as cidades dos Estados Unidos e as comunidades rurais".[6] Quarenta e dois por cento dos residentes rurais na pesquisa concordaram com a afirmação: "Os imigrantes são um fardo para o nosso país porque tomam nossos empregos, nossa moradia e nossa assistência médica". Dos residentes urbanos, apenas 16% concordaram com essa caracterização dos imigrantes como fardo. A pesquisa sugere que a política de "rural" versus "urbano" é uma via promissora para semear divisão no caso de políticos norte-americanos demagogos, principalmente em torno do tema da imigração.

Um artigo para o *The Guardian* publicado em 21 de abril durante as eleições presidenciais de 2017 na França descreve a base eleitoral do Le Front National e de sua candidata à presidência, Marine Le Pen, como "pessoas que vivem em cidades modestas e vilarejos rurais distantes das grandes cidades". A mensagem de Le Pen de "segurança rígida e anti-imigração" é considerada responsável por um aumento do apoio rural a seu partido, onde o sentimento anti-imigração é profundo e generalizado "mesmo onde a imigração é muito rara". Apesar de receber menos de 5% dos votos no primeiro turno em Paris, capital e maior cidade da França, Le Pen terminou em segundo lugar, logo atrás de Emmanuel Macron, com "resultados regionais apontados para fraturas políticas entre as grandes cidades e áreas mais rurais".[7] No segundo turno, que Emmanuel Macron venceu com maioria esmagadora, a divisão rural/urbana permaneceu. Um artigo de 12 de maio de 2017, da BBC, resumiu suas diferenças em termos de apoio:

> Macron foi o melhor nas grandes cidades, incluindo Paris, onde nove de cada dez eleitores o apoiaram. Foi sua área de apoio mais forte. Em contraste, o maior apoio de Le Pen veio do campo.[8]

Da mesma forma, durante as eleições presidenciais de 2016 nos Estados Unidos, a dura retórica anti-imigração de Donald Trump fez mais sucesso nas áreas rurais, com muito poucos imigrantes.

***

A política fascista dirige sua mensagem à população fora das grandes cidades, para quem é mais lisonjeira, ressoando melhor em tempos de globalização, quando o poder econômico passa para as grandes áreas urbanas enquanto centros de uma economia global emergente, como ocorreu na década de 1930 na Europa. A política fascista sublinha os danos que uma economia globalizada causa nas áreas rurais, somando a isso um foco nos tradicionais valores rurais de autossuficiência supostamente ameaçados pelo sucesso das cidades liberais, tanto do ponto de vista cultural quanto econômico.

Nas eleições de 2014 para a legislatura estadual em Minnesota, uma onda republicana derrubou a maioria democrata. Num artigo de 25 de janeiro de 2015 do *Star Tribune* que explica o triunfo republicano, em que um democrata foi ridicularizado como "Metro Jay" por seu adversário republicano, Patrick Condon escreve sobre uma série de questões locais e nacionais, incluindo um novo prédio de escritórios do Senado estadual em St. Paul, a legalização do casamento gay e os esforços para levar o Affordable Care Act* a Minnesota. Os candidatos republicanos em muitos dos domínios mais distantes do estado capitalizaram o receio de que os democratas da cidade grande estivessem infligindo seus valores em pequenas cidades, enquanto acumulavam os espólios do tesouro do estado.

A sensação generalizada de que os habitantes das cidades de Minnesota viviam dos impostos da população rural do estado foi uma força poderosa no triunfo republicano em Minnesota em 2014. ("Também pagamos impostos", disse um morador da parte rural do estado de Minnesota, segundo

* Lei federal de 2010, também conhecida como "Obamacare", que visa ampliar a cobertura de assistência médica nos Estados Unidos. (N.E.)

Cordon, "mas vemos muitos dos nossos impostos indo para o desenvolvimento urbano na área metropolitana. Gostaríamos de receber parte disso. Gostaríamos de ter boas estradas também.") E, no entanto, como acostuma acontecer na política que agrava a divisão rural-urbana em tempos de globalização, a percepção era mítica – em Minnesota, como em muitos lugares da economia globalizada, as áreas metropolitanas é que são "o motor econômico do estado, gerando dinheiro de impostos que flui para todos os cantos do estado".

A política fascista alimenta o mito insultuoso de que os trabalhadores rurais pagam para ajudar moradores urbanos preguiçosos, de modo que não é de se espantar que a base de seu sucesso se encontre nas áreas rurais de um país. Num ensaio de 1980 sobre a composição do apoio ao Partido Nazista, "The Electoral Geography of the Nazi Landslide" [A geografia eleitoral da esmagadora maioria nazista], Nico Passchier observa que "o apoio rural, e especialmente agrário, ao nazismo era grande" e que os nazistas faziam "sucesso, sobretudo, em áreas de pequenas propriedades, uma estrutura social bastante homogênea, fortes sentimentos de solidariedade local e controle social".[9]

A precisão dos ataques de um político fascista às cidades não é particularmente importante para seu sucesso. Essas mensagens ressoam entre os eleitores que não moram nas cidades e não precisam atrair os moradores urbanos. A retórica "anticidade" teve um papel central nas eleições presidenciais dos EUA em 2016. As taxas de criminalidade violenta nos Estados Unidos em 2016 e 2017 foram quase baixas históricas (os casos mais evidentes de crimes violentos – tiroteios em massa – não estavam especificamente ligados a áreas urbanas e geralmente eram atribuídos a homens brancos). As cidades estavam prosperando; a "geração do milênio" nos Estados Unidos tendia a preferir áreas urbanas a suburbanas, e as áreas urbanas estavam tendo uma enorme revitalização. Muitas áreas que nas décadas de 1970 e 1980 eram o paradigma de guetos urbanos arruinados, como o Harlem, haviam experimentado, para o bem ou para o mal, uma tremenda gentrificação e um acentuado aumento dos preços de moradia. Apesar disso, o presidente dos EUA, Donald Trump, durante a campanha presidencial dos EUA em 2016 e depois, falou das cidades americanas como locais de carnificina e praga. Por exemplo, num tweet em 14 de janeiro de 2017, o então presidente eleito Trump falou de "áreas pobres dos centros das cidades americanas infestadas de queimadas e de crimes". Apesar da notável gentrificação nas cidades americanas, Trump fala das cidades como guetos repletos de negros (que, conforme ele insinua, provavelmente são criminosos). Uma frase típica de um de seus discursos de campanha era: "Nossas comunidades afro-americanas estão no pior de sua forma. Dê uma olhada nas áreas pobres dos centros das cidades: ali não se recebe educação, não se consegue emprego, o indivíduo é baleado andando na rua". E, no entanto, durante esse período, as cidades dos Estados Unidos estavam desfrutando de suas menores taxas de criminalidade em anos e registrando baixo índice de desemprego. A retórica de Trump sobre as cidades faz sentido no contexto de uma política fascista mais geral, na qual as cidades são vistas como centros de doenças e pestes, contendo guetos sujos cheios de grupos minoritários desprezíveis que vivem do trabalho dos outros.

***

O apelo ao campo na política fascista pode ser obscurecido em países com centros urbanos contendo bairros profundamente religiosos, ou bairros com trabalhadores pobres de áreas rurais que são bem servidos pelas políticas econômicas populistas que são as preferidas de alguns líderes autoritários. Recep Tayyip Erdoğan começou sua carreira política nacional como prefeito de Istambul, a maior cidade da Turquia. Istambul tem grandes bairros dominados por eleitores religiosos conservadores, o que lhe proporcionou uma base inicial de apoio; as políticas econômicas populistas de Erdoğan também calhavam bem ao pobre negligenciado de Istambul. No entanto, em 1999, Erdoğan escolheu Siirt, "uma cidade na parte sudeste do país, religiosamente conservadora e inquieta", para dar um controverso discurso antissecular que o levou à prisão por "incitar o ódio com base na diferença religiosa".[10] À medida que Erdoğan se engajava cada vez mais na política fascista, sua base de apoio foi transferida para as áreas rurais. As três maiores cidades da Turquia votaram contra o referendo de 2017 que concedia a Erdoğan poderes praticamente ditatoriais. O referendo foi aprovado apenas por causa de seu forte apoio fora desses centros.

Grandes centros urbanos tendem a graus particularmente elevados de pluralismo. Nas cidades, é provável que se encontre não apenas o maior grau de diversidade étnica e religiosa, mas também a maior diversidade de estilos de vida e costumes. A literatura sobre o nacional-socialismo apoia a visão de que as áreas urbanas trouxeram com elas uma medida de tolerância que serviu para proteger, pelo menos por algum tempo, as populações visadas pelos nazistas. De acordo com Richard Grunberger, "os judeus que viviam em aldeias e pequenas cidades foram submetidos a quebra de janelas e agressão física, culminando, às vezes, em assassinatos. Isso os levou a buscar o anonimato e o senso de conforto comunitário que são encontrados em grandes centros, como Frankfurt e Berlim [...] As áreas rurais tendem a ser mais antissemitas do que as urbanas. Nas cidades, o sentimento antijudaico era quase inversamente proporcional ao tamanho [da cidade]".[11]

A ideologia fascista rejeita o pluralismo e a tolerância. Na política fascista, todos na nação escolhida compartilham uma religião e um modo de vida, um conjunto de costumes. A diversidade dos grandes centros urbanos, com sua concomitante tolerância em relação à diferença, é, portanto, uma ameaça à ideologia fascista. A política fascista tem como alvo as elites financeiras, pessoas "cosmopolitas", pessoas liberais, bem como minorias religiosas, étnicas e sexuais. Em muitos países, esses grupos são marcadamente urbanos. As cidades, portanto, servem como alvo substituto para os inimigos clássicos da política fascista.

***

Na ideologia fascista, a vida rural é guiada por um ethos de autossuficiência, o que gera força. Nas comunidades rurais, não é preciso depender do Estado, ao contrário dos "parasitas" da cidade. Hitler escreve que uma lição que aprendeu de seu tempo em Viena foi que "a tarefa social nunca pode consistir em trabalho assistencial, que é ao mesmo tempo ridículo e inútil, mas na remoção de erros profundamente arraigados na organização de nossa vida econômica e cultural, que terminarão em degradação do indivíduo".[12] Richard Walther Darré foi um dos principais ideólogos nazistas e um dos comandantes mais graduados da SS. A tese do ensaio de Darré, "O campesinato como a chave para entender a raça nórdica", de 1929, é que a verdadeira liberdade é concretizada apenas na vida rural agrária do camponês. Na vida rural, a pessoa é forçada a "confiar nas próprias habilidades" e a ser autossuficiente, em vez de ser um "parasita", como são os habitantes da cidade, segundo Darré.[13]

No fascismo, o *Estado* é um inimigo; ele deve ser substituído pela nação, que consiste em indivíduos autossuficientes que, coletivamente, optam por se sacrificar por um objetivo comum de glorificação étnica ou religiosa. Numa tensão que exploraremos no próximo capítulo, a ideologia fascista envolve algo pelo menos superficialmente semelhante ao ideal libertário de autossuficiência e de liberdade em relação ao "Estado".

Para impulsionar a nação, os movimentos fascistas são obcecados em reverter o declínio das taxas de nascimento; grandes famílias criadas por dedicadas donas de casa são o alvo.[14] Na política fascista, as cidades são consideradas como locais de taxas de natalidade em declínio, devido ao suposto enfraquecimento do cosmopolitismo sobre a população, tornando homens e mulheres menos capazes de cumprir os papéis tradicionais de gênero (como soldados e mães, por exemplo). Num discurso de 1927, o líder fascista italiano Benito Mussolini escreve:

> À certa altura, a cidade começa a crescer de maneira patológica e doente, não por meio de recursos próprios, mas através de apoio externo [...] A crescente infertilidade dos cidadãos tem relação direta com o crescimento rápido e monstruoso das cidades [...] A metrópole se espalha, atraindo a população do interior que, tão logo se urbaniza, torna-se estéril como a população que já está lá [...] A cidade morre, a nação [...] é agora composta por pessoas velhas e degeneradas, incapazes de se defender de um povo mais jovem que ataca as fronteiras agora desprotegidas.[15]

Mussolini denuncia as grandes cidades do mundo, como Nova York, por suas abundantes populações de não brancos.

Na ideologia fascista, a cidade é um lugar onde os membros da nação envelhecem e morrem, sem filhos, cercados pelas vastas hordas de outros desprezados, que geram filhos fora de controle, um permanente fardo para o Estado.

As cidades, na cosmovisão fascista, são empreendimentos coletivos onde as pessoas confiam na infraestrutura pública, "o Estado", para sobrevivência e conforto. Os moradores das cidades não caçam nem cultivam sua comida, como na mitologia fascista; eles a compram nas lojas. Isso contraria o ideal fascista de autossuficiência agrária rural. Na ideologia fascista, é a nação que fornece, não o Estado – pequenas comunidades étnica ou religiosamente puras compostas de indivíduos autossuficientes que trabalham como uma comunidade. Encontramos evidências claras dessa ideologia também nos Estados Unidos de hoje. Na pesquisa de 2017 discutida na página 142, houve também um abismo particularmente largo entre os entrevistados rurais e urbanos sobre as noções de trabalho duro e autossuficiência. Em relação à pergunta: "Na sua opinião, qual a principal causa de alguém ser pobre?", 49% dos residentes rurais concordaram com a resposta "falta de esforço de parte dessa pessoa", enquanto 46% concordaram com a resposta "circunstâncias difíceis além de seu controle". Em contrapartida, apenas 37% dos residentes urbanos concordaram com a resposta "falta de esforço de parte dessa pessoa", enquanto 56% concordaram com "circunstâncias difíceis além de seu controle".

A política fascista costuma apresentar as populações minoritárias que vivem nas cidades como roedores ou "parasitas" que vivem às custas do trabalho honesto das populações rurais. Como Hitler escreve em *Mein Kampf*:

> Originalmente, o ariano era provavelmente um nômade e então, com o passar do tempo, ele se

> estabeleceu; isso, no mínimo, prova que ele nunca foi judeu! Não, o judeu não é um nômade, pois até mesmo o nômade já tinha uma atitude definida em relação ao conceito de "trabalho" [...] No judeu, no entanto, esse conceito não tem lugar; ele nunca foi um nômade, mas sempre um parasita nos corpos de outras nações.[16]

No sistema de educação nacional-socialista, "os judeus não são vistos nas ocupações de operários, pedreiros, ferreiros, serralheiros, mineiros, fazendeiros, estucadores. Em outras palavras, o judeu evitava trabalhar com as mãos e evitava trabalhos pesados, enquanto "vivia do suor de seus vizinhos. Ele é um parasita, como o visgo de uma árvore".[17] Na política fascista, a preguiça das minorias nas cidades só pode ser curada se elas forem forçadas ao trabalho duro. O trabalho duro, na ideologia nazista, tinha um poder notável: poderia purificar uma raça inerentemente preguiçosa.

10

ARBEIT MACHT FREI

Em 2017, sucessivos furacões de enorme força atingiram os Estados Unidos. Em agosto, o furacão Harvey devastou a cidade de Houston, no estado do Texas. Em setembro, o furacão Maria teve um impacto consideravelmente pior no território norte-americano de Porto Rico, onde muitos moradores ficaram sem energia elétrica por meses. Os nascidos em Porto Rico, como os nascidos em Houston, são cidadãos americanos. E, no entanto, a diferença entre a reação aos furacões foi extrema, tanto do ponto de vista federal, do presidente Trump, quanto entre muitos norte-americanos brancos que viviam no continente dos Estados Unidos. Num artigo de outubro de 2017 publicado no *The Washington Post* por Jenna Johnson com o título MUITOS ELEITORES DE TRUMP QUE RECEBERAM AUXÍLIO AO FURACÃO NO TEXAS NÃO TÊM CERTEZA DE QUE OS PORTO-RIQUENHOS DEVEM RECEBER TAMBÉM, ela cita Fred Maddox, um residente de Houston, de 75 anos, que fala sobre a questão de

Porto Rico, se eles deveriam receber o tipo de ajuda federal que Houston recebeu:

> Não deveria depender de nós, na verdade. Acho que não. Ele está tentando acordá-los: faça o seu trabalho. Seja responsável.

A família Maddox não possuía seguro contra inundações, mas, mesmo assim, recebeu 14 mil dólares em ajuda federal da FEMA [Agência Federal de Gestão de Emergências]. O artigo termina com uma citação sobre a visão de Maddox em relação às diferentes reações do presidente Trump ao desastre:

> Ele gosta de ter um empresário no escritório, especialmente alguém que não tenha medo de falar a dolorosa verdade.
> "Chegou a hora", disse ele, "de termos alguém lá para lutar por nós."

Na ideologia fascista, em tempos de crise e necessidade, o Estado reserva apoio para os membros da nação escolhida, para "nós" e não para "eles". A justificativa é invariavelmente porque "eles" são preguiçosos, carecem de uma ética de trabalho, e não lhes podem ser confiados fundos estatais, além de que "eles" são criminosos e querem viver somente da generosidade do Estado. Na política fascista, "eles" podem ser curados da preguiça e do roubo com trabalho duro. É por isso que os portões de Auschwitz e Buchenwald exibiam o slogan ARBEIT MACHT FREI – o trabalho liberta.

Na ideologia nazista, os judeus eram criminosos preguiçosos e corruptos que passavam o tempo planejando roubar o dinheiro de arianos trabalhadores, um trabalho que era facilitado pelo Estado. As "Diretrizes" de 1919 do Deutsche Arbeiterpartei (DAP) – o Partido dos Trabalhadores Alemães, o nome original do Partido Nazista – apresentam a pergunta: "Contra quem o DAP está lutando?". A resposta é: "Contra todos aqueles que não criam valor, que auferem altos lucros sem nenhum trabalho mental ou físico. Nós lutamos contra os parasitas do Estado, que são principalmente os judeus. Eles gozam de uma boa vida, colhem onde não semearam".[1] A solução era desarticular o Estado e substituí-lo pela nação. Em contraste com o Estado, a nação é desprovida de mecanismos como "bem-estar social", que, segundo Hitler, priva os indivíduos de sua capacidade de independência econômica. O Estado representava a redistribuição da riqueza dos cidadãos trabalhadores para minorias que "não merecem", fora da comunidade étnica ou religiosa dominante, que se aproveitaria dos primeiros.

Há uma grande quantidade de trabalhos científicos sociais sobre o apoio americano branco a programas de "bem-estar social" (na verdade, uma categoria um pouco mal definida). Na maioria das vezes, a oposição americana ao bem-estar social é apresentada como uma manifestação de um compromisso com o individualismo, de apoio e desejo de nutrir uma ética de autossuficiência. E ainda um tema dominante que resulta da pesquisa sobre a atitude dos americanos brancos em relação ao bem-estar social é que o maior indicador da atitude desses americanos brancos em relação aos programas descritos como "bem-estar social" é sua postura em relação ao julgamento de que os negros são preguiçosos. Como o cientista político de Princeton Martin Gilens escreve em seu artigo de 1996, "'Race Coding' and White Opposition to Welfare" ["Codificação da raça" e oposição branca ao bem-estar social], "a percepção de que os negros são preguiçosos tem um efeito maior sobre as preferências políticas de bem-estar social dos americanos brancos do que o seu próprio interesse econômico, crenças sobre o individualismo ou visões sobre os pobres em geral".[2]

É claro que variáveis como o racismo, a crença de que os pobres são preguiçosos e o endosso de certas formas de individualismo não são independentes umas das outras. Muitos americanos brancos têm crenças falsas sobre quem é pobre. Há uma ignorância generalizada em relação ao fato de que a maioria daqueles que se beneficiam de programas de bem-estar social são brancos. Além disso, como no capítulo anterior, a valorização da autossuficiência está no cerne da ideologia fascista, inextricavelmente misturada com a hostilidade em relação a certos grupos minoritários odiados. Podemos fazer distinção entre as crenças na preguiça dos negros e das pessoas pobres, e no valor da autossuficiência. Mas nas pessoas suscetíveis à ideologia fascista, essas crenças normalmente aparecem juntas.

Na ideologia fascista, o ideal de trabalho duro é utilizado como arma contra populações minoritárias. O partido neofascista francês Le Front National é cruelmente anti-imigração. Representantes do partido rejeitam os imigrantes, taxando-os de parasitas que vivem às custas do trabalho duro e da diligência do "verdadeiro" povo francês. Por exemplo, Marine Le Pen, a atual líder do partido, disse na campanha presidencial de 2017 que "intrusos do mundo todo [...] querem transformar a França numa grande terra de ocupação".

***

A dicotomia "trabalho duro" versus "preguiça" está, como "cumpridores da lei" versus "criminoso", no cerne da divisão fascista entre "nós" e "eles". Mas o mais aterrador nessas divisões retóricas é que os movimentos fascistas tentam transformar os mitos sobre "eles" em realidade por meio da política social. Vemos isso regularmente em relação aos movimentos de refugiados. Hannah Arendt escreve:

> Sempre foi uma particularidade muito pouco notada na propaganda fascista a ideia de que eles não gostavam de mentiras, mas propunham deliberadamente transformar suas mentiras em realidade. Assim, o jornal *Das Schwarze Korps* admitiu, vários anos antes do início da guerra, que as pessoas no exterior não acreditavam completamente na alegação nazista de que todos os judeus são mendigos sem-teto que só conseguem subsistir como parasitas no organismo econômico de outras nações; mas a opinião pública estrangeira, eles profetizaram, teria, em poucos anos, a oportunidade de se convencer desse fato quando os judeus alemães fossem expulsos pelas fronteiras como um bando de mendigos. Para tal fabricação de uma realidade mentirosa ninguém estava preparado. A característica essencial da propaganda fascista nunca foi suas mentiras, pois isso é algo mais ou menos comum à propaganda de todos os lugares e de todos os tempos. O principal era que eles exploraram o antigo preconceito ocidental que confunde a realidade com a verdade, e tornaram "verdade" o que até então só podia ser declarado como mentira.[3]

Os refugiados traumatizados e sem dinheiro que chegam em massa pelas fronteiras requerem ajuda e apoio estatais antes de entrarem nos mercados de trabalho. Eles precisam desse apoio para aprender o idioma e, pelo menos inicialmente, para ter moradia, alimentação e treinamento profissional. Submetendo os membros de uma minoria desprezada a um tratamento brutal e depois fazendo-os cruzar as fronteiras para outros países como refugiados, os movimentos fascistas podem criar uma aparente realidade subjacente à sua alegação de que os membros desse grupo são preguiçosos e dependentes de auxílio estatal ou pequenos crimes. Por esses métodos, eles também exportam as condições que tornam efetiva a política fascista.

O argumento de Arendt é que a irrealidade fascista é uma nota promissória no caminho para uma realidade futura que transforma em fato pelo menos alguma base do mito outrora estereotipado. A irrealidade fascista é, como explica Arendt, um prelúdio da política fascista. A política fascista e a conduta fascista não podem ser facilmente divorciadas uma da outra. A forte tentação para aqueles que empregam a política fascista, quando assumem o poder, é usar essa posição de poder para tornar suas declarações, outrora fantásticas, cada vez mais plausíveis.

Dessa forma, como um prelúdio para a limpeza étnica ou o genocídio, os governos criarão artificialmente dentro do Estado as condições que parecem legitimar o subsequente tratamento brutal da população. Um bom exemplo é o estado eslovaco, liderado por Jozef Tiso, que surgiu depois que a Alemanha nazista invadiu a Tchecoslováquia em 1939. No livro *Terra negra: O Holocausto como história e advertência*, de 2015, Timothy Snyder, historiador de Yale, escreve:

> Durante a transição da Tchecoslováquia para a lei eslovaca, os eslovacos e outros roubaram com entusiasmo dos judeus. Tiso e os líderes do novo Estado viram isso como parte de um processo natural pelo

> qual os eslovacos ocupariam o espaço dos judeus (e, em certa medida, os eslovacos católicos ocupariam o lugar dos eslovacos protestantes) como a classe média. Leis expropriando judeus criaram, assim, uma questão judaica artificial: o que fazer com todos esses pobres?[4]

Snyder, subsequentemente, explica que a solução escolhida pelos líderes eslovacos foi deportar sua população judaica para Auschwitz, depois de buscar garantias do líder nazista Heinrich Himmler de que os 58 mil judeus eslovacos que eles enviaram não seriam devolvidos.

A crise rohingya de 2017, de limpeza étnica e assassinato em massa, não ocorreu do nada. Conforme escrito anteriormente, ela começou em 2012, após o estupro e assassinato de uma mulher budista por vários homens rohingya. Depois disso, muitos rohingyas foram sequestrados em centenas de aldeias e proibidos de viajar. De acordo com o relatório de junho de 2016 do Alto Comissariado das Nações Unidas para os Direitos Humanos, a partir de 2012, a maioria dos rohingyas

> precisa de autorização oficial para se deslocar entre municípios e, muitas vezes, dentro deles (no norte do Estado de Rakhine, por exemplo, um certificado de partida da aldeia é necessário para pernoitar em outra aldeia). Os procedimentos para garantir viagens são onerosos e demorados. O não cumprimento dos requisitos pode resultar em prisão e processo. Restrições rotineiramente levam à extorsão e assédio por parte das autoridades policiais e funcionários públicos [...] Deslocamentos prolongados, superlotação nos campos, falta de meios de subsistência e restrições

em todos os aspectos da vida exacerbam as tensões e o risco de violência doméstica.[5]

O tratamento da minoria rohingya em Mianmar roubou-lhes a oportunidade de trabalhar, e o constante assédio e policiamento, sem dúvida, criaram uma crise de saúde mental entre a população. Tudo isso serviu para reforçar os estereótipos negativos do povo rohingya, o que serviu para legitimar o tratamento brutal e desumano em relação a eles, culminando na limpeza étnica de sua população em 2017, além de gerar oposição à sua aceitação como refugiados em outros países.

Frantz Fanon, psiquiatra de formação, nasceu na Martinica e viveu na França e no norte da África. Seu livro *Pele negra, máscaras brancas*, de 1952, publicado quando ele tinha apenas 27 anos, é um dos clássicos anticolonialistas do século XX. Numa descrição de como a polícia francesa tratava os argelinos, Fanon explica, de maneira concisa, que a prática regular do colonizador – nesse caso, a polícia francesa na Argélia – pode criar as condições materiais que subjazem por trás de um estereótipo racista.

O estereótipo francês em relação aos árabes é que eles eram ardilosos, dissimulados, sujos e suspeitosos. Mas Fanon ressalta que esse estereótipo foi criado pela maneira como a polícia francesa tratava os árabes e pelo fato de que o governo francês os empobrecia. Qualquer um teria uma "aparência suspeita" se estivesse sujeito a ser parado o tempo todo pela polícia em plena luz do dia. É a única reação natural a um tratamento desses. A prática da própria polícia francesa fez com que os sujeitos coloniais se comportassem de acordo com o estereótipo. Resumindo a situação, Fanon conclui: "É o racista que cria o inferiorizado".[6]

***

Os Estados Unidos têm seu próprio histórico de políticas que alimentam os estereótipos e os fazem parecer reais. A estrutura de policiamento e encarceramento, e a reação branca a isso, são fundamentais para explicar como o encarceramento racializado em massa nos Estados Unidos constrói e aparentemente legitima estereótipos negativos de grupo. A chance de ser encarcerado pelo menos uma vez na vida é uma em cada três para os homens negros americanos; é uma em dezessete para homens americanos brancos. Mas a tragédia dessa estatística não termina com a libertação de uma pessoa encarcerada da prisão. Aqueles que já foram presos enfrentam perspectivas de trabalho extremamente difíceis. Uma história de encarceramento funciona como um estigma para os empregadores. Num estudo de 2003 que mostra os efeitos devastadores do encarceramento prévio na busca por emprego, a socióloga Devah Pager, da Universidade de Harvard, escreve que o encarceramento se torna um rótulo para os indivíduos, assim como acontece com os recém-formados no ensino superior ou beneficiários de assistência social.

> A "credencial negativa" associada a um antecedente criminal representa um mecanismo único de estratificação, na medida em que é o Estado que certifica determinados indivíduos de forma a qualificá-los para discriminação ou exclusão social.[7]

Em seu importante estudo, Pager descobriu grandes efeitos do encarceramento prévio nas oportunidades de emprego. Ela usou equipes de candidatos, dois negros e dois brancos, com aparência e currículos semelhantes. Um membro foi instruído a relatar um encarceramento de dezoito meses por tráfico de cocaína, e o outro foi instruído a relatar que não tinha nenhum antecedente criminal. A cada semana, o membro da equipe que relatava um antecedente criminal mudava. Junto, as equipes se candidataram a empregos de nível básico em Milwaukee, no estado de Wisconsin.

Entre os brancos, um antecedente criminal reduziu em 50% a probabilidade de uma entrevista de retorno para um emprego de nível básico – os candidatos brancos de Pager que não relataram antecedentes criminais tiveram um índice de retorno de 34% e os candidatos brancos que relataram antecedentes criminais tiveram um índice de retorno de 17%. Os candidatos negros que ela usou, com currículos muito parecidos, tiveram um índice de retorno de 14% quando não relataram antecedentes criminais – sugerindo que os negros americanos que não têm antecedentes criminais já se saem pior na busca por um emprego de nível básico do que os americanos brancos que relatam um antecedente criminal. Apenas 5% dos candidatos negros que relataram um antecedente criminal foram chamados para entrevistas de retorno. De acordo com o estudo de Pager, tanto a raça quanto o registro anterior de encarceramento têm um efeito drástico nas chances de emprego. Somando raça e registro anterior de encarceramento, as perspectivas de emprego pioram drasticamente. O aumento dos índices de encarceramento entre populações negras pode naturalmente levar a um aumento do desemprego entre essa população.

Os estereótipos dos americanos brancos em relação aos americanos negros, vistos como preguiçosos e violentos, derivam do início dos Estados Unidos, onde esses atributos eram usados regularmente para justificar a escravização da população negra do país. Após a escravidão, esses estereótipos foram usados para justificar a prática igualmente brutal do arrendamento de condenados, em que grandes porções da população negra do Sul eram presas por pequenos crimes e arrendadas a empresas de ferro, aço e carvão para trabalhos forçados, muitas vezes com consequências fatais.[8] Os mecanismos subjacentes ao encarceramento racializado em massa de americanos negros fazem parte de uma longa tradição de justificar o estereótipo dessa população como preguiçosa – isto é, incapazes de conseguir emprego simplesmente por falta de força de vontade.

Na década de 1960, as administrações de Kennedy e Johnson responderam ao movimento pelos direitos civis combinando programas de treinamento profissional e antipobreza com medidas punitivas anticrime. Quando Richard Nixon concorreu ao cargo de presidente em 1968, ele usou a agitação urbana para mudar o assunto, de justiça social para lei e ordem. Ele fez isso numa época de muitos casos de agitação urbana, mas com taxas decrescentes de encarceramento. A historiadora Elizabeth Hinton escreve:

> Quando Richard Nixon assumiu o cargo em 1969, ele herdou um sistema penal que vinha libertando prisioneiros. A década de 1960 produziu a maior redução na população de prisões federais e estaduais na história do país, com 16,5 mil prisioneiros a menos em 1969 do que em 1950. Apesar dessa tendência de soltura, sob os auspícios do governo Nixon, o governo federal começou a construir prisões num nível sem precedentes.[9]

Ao chamar a atenção da nação para a lei e a ordem, o governo Nixon conseguir fazer com que se abandonassem os programas antipobreza e as iniciativas de emprego de Johnson, concentrando-se em medidas de criminalidade punitiva, especialmente em centros urbanos povoados por afro-americanos. Hinton e outros oferecem fortes razões para acreditar que Nixon e os membros de sua administração sabiam muito bem que suas políticas levariam a um aumento dramático no encarceramento entre os cidadãos negros. Há divergências e questões abertas no extenso material sobre as causas da atual crise do encarceramento em massa nos Estados Unidos. Mas ninguém discorda que a combinação de políticas de crime duras e punitivas para as comunidades negras americanas, juntamente com cortes drásticos nos programas de bem-estar social e de treinamento profissional, causou trágicas consequências e um padrão autossustentado de repetidos estereótipos e políticas. Além da clara ligação entre o encarceramento e a incapacidade de conseguir emprego, a combinação de cortes severos na rede de segurança social e programas profissionalizantes com políticas punitivas do crime gerou uma população de negros americanos com taxas de desemprego permanentemente altas. Apontando para essa população, os políticos que empregam táticas fascistas podem alegar uma crise de preguiça supostamente subjacente à pobreza multigeracional, em vez das causas reais desta. A "preguiça" poderia, então, ser "curada" ao forçar essa população a "trabalhar duro", reduzindo ainda mais a rede de segurança. Como as evidências sugerem que os brancos não estão contratando negros, sobretudo ex-prisioneiros, isso simplesmente enraizaria ainda mais esses padrões de desemprego – perpetuando, assim, um estereótipo de falhas inerentes que é útil na política fascista.

Na década de 1970, os efeitos dessa combinação de políticas públicas não eram claros. Era possível pensar que medidas anticrime severamente punitivas eram melhores do que nada para lidar com problemas sociais persistentes, como violência e desemprego. Sabemos agora que medidas agressivas contra o crime, dirigidas a populações minoritárias, em conjunto com serviços sociais reduzidos para apoiar suas comunidades, produzirão consequências desastrosas. Decorreram anos de atenção da mídia ao desastre das políticas emergentes dos movimentos "duros com o crime" das décadas de 1970, 1980 e 1990, resultando num grande apoio bipartidário à mudança, de políticas punitivas de criminalidade para programas sociais. No entanto, o que não acompanhou essa mudança é a consciência de que as motivações subjacentes à retórica e às políticas do crime duro eram fascistas, criadas para estabelecer uma dicotomia "nós" contra "eles" e reforçar estereótipos hierárquicos preexistentes.

Portanto, deve preocupar os cidadãos norte-americanos que, no momento em que este livro está sendo escrito, o plano de muitos membros do Partido Republicano nos Estados Unidos, incluindo a administração do atual presidente dos EUA, Donald Trump, seu procurador-geral Jeff Sessions e o presidente da Câmara dos Representantes Paul Ryan, é eliminar o já combalido Estado de bem-estar social dos EUA, ao mesmo tempo que torna o sistema de justiça criminal substancialmente mais punitivo. Depois de anos e anos de atenção da mídia às consequências de tais políticas, ninguém mais pode alegar ignorância dos efeitos de tal combinação de políticas, tanto sobre os americanos negros quanto sobre as atitudes raciais brancas. É preciso uma ignorância aplicada dos fatos, o que o filósofo da Universidade de Connecticut, Lewis Gordon, chama de "má-fé", para se comprometer novamente com essas políticas fracassadas.[10] Essa "má-fé" é, como vimos, característica dos regimes fascistas. Podemos ver, no caso das atitudes dos políticos dos EUA em relação à política criminal e aos programas de bem-estar social, que essa ignorância intencional não é benigna. Ela tem um objetivo não declarado: criar as condições que permitem que os estereótipos racistas floresçam, de modo que os políticos possam continuar explorando táticas fascistas para ganhos eleitorais.

***

Um obstáculo para o tipo de divisões entre nós/eles descrito acima é a unidade e a empatia intraclasses, exemplificadas nos sindicatos. Nos sindicatos em funcionamento, os cidadãos brancos da classe trabalhadora se identificam com os cidadãos negros da classe trabalhadora, em vez de se ressentirem deles. Os políticos fascistas entendem a eficácia que essa solidariedade tem em resistir às políticas de divisão e, portanto, procuram desarticular os sindicatos. Apesar de condenar as "elites", a política fascista procura minimizar a importância da luta de classes.

O sindicato é o principal mecanismo que as sociedades descobriram para vincular pessoas que diferem em vários outros aspectos. Os sindicatos são fontes de cooperação e de comunidade e de igualdade salarial, bem como mecanismos para fornecer proteções às vicissitudes do mercado global. De acordo com a política fascista, os sindicatos devem ser esmagados para que os trabalhadores individuais tenham que se virar sozinhos no mar do capitalismo global e passem a depender de um partido ou líder. A aversão pelos sindicatos é um tema tão importante na política fascista que o fascismo não pode ser totalmente compreendido sem um entendimento disso.

Na parte 1 de *Mein Kampf*, Hitler faz uma série de ataques aos sindicatos. Por exemplo, ele escreve: "[O judeu] está gradualmente assumindo a liderança do movimento sindical – mais fácil, porque o que importa para ele não é tanto a remoção genuína dos males sociais quanto a formação de uma força de combate cegamente obediente na indústria, com o propósito de destruir a independência econômica nacional". No capítulo em *Mein Kampf* intitulado "A questão dos sindicatos" (que evoca a "questão judaica"), Hitler escreve que "o marxismo forjou [o sistema de sindicatos], transformando-o num instrumento para sua própria guerra de classes. O marxismo criou a arma econômica que o judeu internacional emprega para destruir a base econômica de Estados nacionais livres e independentes, para arruinar sua indústria e seu comércio nacional". Hitler denuncia os sindicatos, alegando que eles "impedem a eficiência nos negócios e na vida de toda a nação".[11] Ele pede que os sindicatos sejam adaptados para servir à nação e não aos interesses de classe.

A preocupação com a independência econômica e a eficiência dos negócios era apenas uma máscara para a verdadeira antipatia de Hitler em relação aos sindicatos trabalhistas. O capítulo 10 da obra clássica de Hannah Arendt, *Origens do totalitarismo*, de 1951, é intitulado "Uma sociedade sem classes". Nesse capítulo, Arendt argumenta que o fascismo exige que os indivíduos em uma sociedade sejam "atomizados", isto é, devem perder a conexão mútua existente entre suas diferenças. Os sindicatos criam laços mútuos ao longo de linhas de classe e não de raça ou religião. Essa é a razão fundamental pela qual os sindicatos estão na mira da ideologia fascista.

Há mais razões pelas quais a ideologia fascista tem como alvo os sindicatos trabalhistas. A política fascista é mais efetiva sob condições de acentuada desigualdade econômica. Pesquisas mostram que a proliferação dos sindicatos é o melhor antídoto contra o desenvolvimento de tais condições. Como ressalta o cientista político de Harvard, Archon Fung, "muitas sociedades que têm baixos níveis de desigualdade também têm alta participação nos sindicatos de trabalhadores".[12] Fung observa uma estatística extraordinária derivada de um estudo de desigualdade e densidade sindical nos países da Organização para a Cooperação e Desenvolvimento Econômico(a maioria das democracias estáveis da América do Norte e da Europa) em 2013. Fung afirma que "países com alta densidade sindical têm baixa desigualdade de renda (Dinamarca, Finlândia, Suécia e Islândia), e os países de alta desigualdade também têm baixa densidade sindical (EUA, Chile, México e Turquia)". O número de países no estudo com alta desigualdade e alta densidade sindical foi *zero*. Os sindicatos são uma arma poderosa contra o desenvolvimento de uma esfera econômica desigual. Como o fascismo prospera em condições de incerteza econômica, onde o medo e o ressentimento podem ser mobilizados para colocar os cidadãos uns contra os outros, os sindicatos de trabalhadores se protegem contra a possibilidade de a política fascista criar um ponto de apoio para se desenvolver.

Nos Estados Unidos, a divisão racial sempre contrariou a força unificadora do movimento trabalhista, que historicamente ameaçou os proprietários de corporações, fábricas e aqueles com investimentos substanciais no país. O capítulo 14 do livro *Black Reconstruction* de W.E.B. Du Bois intitula-se "Contrarrevolução da propriedade". Nele, Du Bois descreve o movimento operário que emergiu durante a Reconstrução colocando "tal poder nas mãos dos trabalhadores do Sul, que, com liderança inteligente e altruísta e um ideal esclarecedor, poderiam ter reconstruído os fundamentos econômicos da sociedade sulista, confiscado e redistribuído a riqueza e construído uma democracia real e industriosa para as massas".[13] Du Bois documenta como o emergente movimento trabalhista do

Sul foi dividido por ressentimento racial, com brancos pobres temerosos de perder seu lugar na hierarquia social acima dos cidadãos negros recém-emancipados. Du Bois argumenta que os industriais do Norte, juntamente com as antigas estruturas brancas do poder do Sul, aproveitaram esses ressentimentos para esmagar qualquer aparência de um movimento trabalhista inter-racial, e, com isso, o que teria sido uma força poderosa para a igualdade econômica. Quando trabalhadores brancos pobres não têm identificação de classe com trabalhadores negros pobres, eles recaem em linhas familiares de divisão racial e ressentimento.

Hoje, a lei do "direito ao trabalho" foi aprovada em 28 estados dos EUA e, no momento em que este texto está sendo escrito, ameaça ser validado pela Suprema Corte, pelo menos para os sindicatos públicos. Essas leis proíbem os sindicatos de cobrar taxas de funcionários que não desejam pagá-las, ao mesmo tempo em que exigem que os sindicatos forneçam aos empregados que não optarem por pagar as taxas representação e direitos sindicais iguais. Essa lei visa destruir os sindicatos, removendo seu acesso a apoio financeiro. "Direito ao trabalho" é um nome orwelliano para uma legislação que ataca a capacidade dos trabalhadores de negociar coletivamente, roubando-lhes a voz. Após a aprovação das leis de direito ao trabalho nos bastiões do Centro-Oeste da mão de obra americana – Wisconsin e Michigan –, a política dos estados inclinou-se bastante para a direita, sobretudo durante a campanha presidencial de 2016, de polarização racial. Vale a pena investigar a história das leis de direito ao trabalho para entender seu papel na divisão racial contemporânea.

As leis de direito ao trabalho começaram no estado do Texas na década de 1940, propostas inicialmente por um lobista chamado Vance Muse, em resposta ao fato de que os sindicatos estavam desafiando "o sistema econômico de base racial da região". O Congresso de Organizações Industriais (CIO) rompeu com a Federação Americana do Trabalho (AFL) em meados da década de 1930, devido à insistência do CIO por maior inclusão, em particular a inclusão de mão de obra não qualificada. O CIO foi, então, desde o início, mais progressivo do que a organização da qual se separou e à qual eventualmente se juntou para formar a AFL-CIO de hoje. Como observa o sociólogo Marc Dixon, de Dartmouth, os sindicatos do CIO "tendiam a ser mais racialmente progressistas do que os sindicatos da AFL [...] e muitas vezes iniciaram campanhas para eliminar o imposto comunitário nos estados do Sul do início a meados da década de 1940".[14] Muse era o chefe da Christian American Association [Associação Americana Cristã], que havia sido uma organização de lobby para empresas de petróleo. A Associação era racista, antissemita e anticatólica, e promoveu seus interesses antissindicalistas com um programa fascista familiar de fomentar o pânico em relação aos comunistas que buscavam igualdade racial a fim de derrubar a dominação branca.

Vance Muse foi explícito sobre a motivação racial por trás do ataque realizado aos sindicatos por meio das leis de direito ao trabalho: "De agora em diante, mulheres brancas e homens brancos serão forçados a fazer parte de organizações com macacos negros africanos, que eles terão que chamar de 'irmão' ou perder seus trabalhos". Em 1945, Muse disse: "Eles me chamam de antijudeu e anticrioulo. Veja bem, nós gostamos do crioulo – em seu lugar [...] Nossa emenda [do direito ao trabalho] ajuda o crioulo, não o discrimina. Crioulos bons, não aqueles crioulos comunistas. Judeus? Ora, alguns dos meus melhores amigos são judeus! Bons judeus". Muse declarava-se "um sulista defensor da supremacia branca", e os americanos cristãos "consideravam o New Deal* como parte do ataque mais abrangente do 'marxismo judaico' à livre iniciativa cristã".[15]

As leis de direito ao trabalho foram originalmente promovidas numa linguagem que refletia com exatidão os ataques de Hitler contra os sindicatos em *Mein Kampf*. No entanto, seu plano antissindicalista, explicitamente fundado no desejo de manter a hierarquia racial branca e impedir a solidariedade entre raças e religiões, saiu, em grande parte, vitorioso nos Estados Unidos de hoje. Tais políticas antissindicalistas prepararam o caminho para que um candidato à presidência, conduzindo uma campanha nacionalista branca com uma evidente nostalgia em relação à década de 1930, alcançasse a vitória nos outrora orgulhosos estados "trabalhadores" do Centro-Oeste.

***

Reprimir os sindicatos e acusar certos grupos de preguiça cria as divisões cruciais para o sucesso da política fascista. Mas por que *ser preguiçoso*, na política fascista, ocupa os níveis mais baixos numa hierarquia de valor social? E de todas as identidades para glorificar, por que os políticos fascistas não tentam usar, em vez de desarticular, a unidade de classe? A resposta está no darwinismo social na base da política fascista.

Os movimentos fascistas compartilham com o darwinismo social a ideia de que a vida é uma competição pelo poder, segundo a qual a divisão dos recursos da sociedade deve ser

* Série de programas econômicos implementados pelo presidente norte-americano Franklin Delano Roosevelt entre 1933 e 1937, com o intuito de recuperar e reformar a economia do país, assolado pela crise de 1929, bem como auxiliar os desassistidos. (N.E.)

deixada para a pura concorrência do livre mercado. Os movimentos fascistas compartilham seus ideais de trabalho duro, iniciativa privada e autossuficiência. Ter uma vida digna de valor, para o darwinista social, é ter superado os outros pela luta e pelo mérito, ter sobrevivido a uma feroz competição por recursos. Aqueles que não competem com sucesso não merecem os bens e recursos da sociedade. Numa ideologia que mede valor pela produtividade, a propaganda que apresenta os membros de um grupo externo como preguiçosos é uma maneira de justificar sua colocação inferior numa hierarquia de valor.

Esse aspecto da ideologia fascista explica a atitude nacional-socialista em relação aos deficientes, descrita como *lebensunwertes Leben* – vida indigna de vida. Os cidadãos com deficiência foram considerados desprovidos de valor, porque o valor na ideologia nacional-socialista surgiu do valor de suas contribuições para a sociedade através do trabalho. Na ideologia nazista, aqueles que dependiam do Estado para sua sobrevivência não tinham valor algum. Os governos fascistas foram responsáveis por algumas das piores demonstrações de crueldade já vistas na humanidade em relação às populações com deficiência. A Lei para a Prevenção da Progênie com Doenças Hereditárias, promulgada em 1933 pela Alemanha nazista, determinou a esterilização de cidadãos deficientes, sendo seguida pelo programa secreto T4, que realizou gaseamentos de cidadãos alemães com deficiência, e, finalmente, em 1939, os médicos foram ordenados a matá-los.

Muitas vezes pensamos no fascismo como uma política anti-individualista, derivando seu poder de massas uniformes. No entanto, Hitler se cansou de exaltar tanto o valor do indivíduo quanto o ideal da meritocracia. É a concepção darwinista social do valor individual que dá estrutura à hierarquia fascista e explica a acusação de preguiça. Os grupos são ordenados, no fascismo, por sua capacidade de realizar, de superar os outros, no trabalho e na guerra. Hitler critica a democracia liberal porque ela incorpora um sistema de valores contrário, que concede valor independentemente da vitória numa luta meritocrática natural. Hitler dizia que a democracia é *incompatível* com a individualidade, uma vez que não permite que os cidadãos individuais se elevem acima dos outros na luta competitiva. A visão fascista da liberdade individual é semelhante à noção libertária de direitos individuais: o direito de competir, mas não necessariamente de ter sucesso ou mesmo de sobreviver.

A doutrina do liberalismo econômico entende a liberdade de uma maneira muito específica: a liberdade é definida por mercados livres irrestritos. Consiste em ter acesso a um "campo de jogo nivelado", na forma de mercados que não são restringidos de forma alguma por regulamentações. Se o indivíduo acabar sendo mais fraco na luta, suas perdas são responsabilidade sua. O liberalismo econômico vincula a liberdade e a virtude à riqueza. De acordo com esses princípios, a pessoa "ganha" a liberdade acumulando riquezas na luta. Aqueles que não "ganham" suas liberdades dessa maneira não a merecem. Embora o fascismo envolva um compromisso de *agrupar* hierarquias de valor, o que é totalmente incompatível com o verdadeiro liberalismo econômico, que não generaliza além do indivíduo, ambas as filosofias têm um princípio comum pelo qual o valor é medido. O liberalismo econômico é, afinal, o lado "jantar de gala em Manhattan" do darwinismo social.

Nas eleições presidenciais americanas de 2012, o candidato a vice-presidente Paul Ryan falou diversas vezes que a sociedade americana estava dividida em "produtores" e "tomadores". Ryan argumentou que era imperativo promover políticas que aumentassem o número de "produtores" na sociedade e diminuíssem o número de "tomadores". Na época, Ryan colocou a preocupação de que os Estados Unidos estavam se tornando uma sociedade com uma maioria de "tomadores" e uma minoria de "produtores", uma sociedade na qual "tomadores" são aqueles "que recebem mais benefícios em valor monetário do governo federal do que pagam em impostos". De acordo com essa ideologia, os "produtores" da sociedade, em virtude de sua riqueza, têm mais valor do que os "tomadores". Mais recentemente, Ryan abandonou o vocabulário de "produtores" versus "tomadores", mas manteve as mesmas políticas que claramente favorecem aqueles com mais riqueza em detrimento daqueles com menos riqueza. Aqueles americanos inclinados a atribuir, por exemplo, diferentes cores de pele a "produtores" ou "tomadores", ao fazê-lo, vão além do liberalismo em direção ao fascismo.

Embora o liberalismo incentive a liberdade individual para competir em mercados livres, também apoia empresas hierárquicas. A política fascista preza a filosofia libertária também por esse motivo. O nacional-socialismo reconheceu que os locais de trabalho eram geralmente organizados hierarquicamente, com um CEO ou líder de fábrica todo-poderoso. No domínio da iniciativa privada (bem como das forças armadas), o nacional-socialismo reconheceu uma estrutura autoritária familiar que sua política poderia explorar para fins de propaganda. Nos discursos dos nacional-socialistas, encontramos claros ecos da política de direita americana, vinculando a interferência do governo com a perda de liberdade, e encontrando virtude na liderança de um CEO.[16]

Hitler viu na iniciativa privada princípios que se alinhavam com sua própria ideologia. O princípio da meritocracia, pelo qual "o grande homem" é recompensado pela excelência com uma posição de liderança, atraiu-o; os fortes devem justamente governar os fracos. A meritocracia, para Hitler, respaldava o importantíssimo princípio de liderança do nacional-socialismo. Locais de trabalho privados são organizados hierarquicamente, com uma estrutura de comando que envolve um CEO, que dá ordens (o fato de que o CEO responde a um conselho de administração é um detalhe normalmente ignorado na política fascista).

Hitler viu "dois princípios totalmente opostos: o princípio da democracia que, onde quer que seus resultados práticos sejam evidentes, é o princípio da destruição. E o princípio da autoridade do indivíduo, que eu gostaria de chamar de princípio da realização".[17] Ele advertiu que uma esfera política democrática e uma esfera econômica autoritária criam uma mistura instável porque o Estado tem a tendência de invadir as empresas com regulamentações democraticamente impostas. Hitler enfatizou que os industriais deveriam apoiar o movimento nazista, uma vez que as empresas já funcionam de acordo com o "princípio do líder", o Princípio do Führer. Na empresa privada, quando um CEO dá as ordens, os funcionários devem obedecer; não há espaço para governança democrática. Assim, na política, Hitler insiste, o líder deve atuar como o CEO de uma empresa.

Hitler não prezava as regulamentações que protegiam os consumidores ou os trabalhadores, assim como não prezava as redes de proteção oferecidas pelo bem-estar social ou pelos sindicatos trabalhistas. A base de um compromisso com um sistema generoso de bem-estar universal é uma expressão da crença no valor fundamental de cada cidadão. O democrata liberal não coloca "produtores" contra "tomadores" numa competição por valor. Um generoso sistema de bem-estar social une uma comunidade em laços mútuos de cuidado, em vez de dividi-la em facções que os demagogos podem explorar. Os sindicatos de trabalhadores reúnem trabalhadores de diferentes origens étnicas e religiosas, diferentes identidades de gênero e orientação sexual, em torno de objetivos comuns – cooperando para negociar um acordo melhor.

Todas as instituições humanas são falhas em algum grau, inclusive os sistemas de bem-estar social e os sindicatos de trabalhadores. Mas ao criticar as falhas de qualquer instituição, é importante perguntar o que se perderia em sua ausência. A mobilização conjunta por melhores condições para todos nos une de uma forma que nos permite reconhecer uma humanidade comum, apesar das diferenças de aparência, etnia, religião, condição de deficiência, orientação sexual e gênero. Infelizmente, os humanos devem ser continuamente lembrados de que, sejamos brancos ou negros, em conformidade ou não com o gênero, mulher ou homem, cristão, muçulmano, judeu, hindu ou ateu, todos nós precisamos de um fim de semana de folga, de comida para comer e de tempo e apoio para cuidar de nossos pais idosos. Por mais falhas que sejam as instituições e políticas que nos dão nosso éthos democrático, sem elas uma sociedade democrática liberal beira o colapso.

Hitler não errou ao afirmar que há tensões genuínas numa sociedade que tem um sistema político democrático e uma economia baseada em empresas privadas que funcionam sob princípios de hierarquia. Muitos de nós vivemos em tais sociedades, vivendo, portanto, com as tensões geradas no conflito entre as normas democráticas e as econômicas. Devido a essa luta, o movimento trabalhista ganhou o fim de semana, a jornada de trabalho de oito horas, conquistando muitas outras vitórias, nenhuma delas trivial, mas nenhuma, em última instância, democraticamente transformadora. Hitler estava certo ao dizer que, numa sociedade democrática, existem tensões entre as diversas práticas e estruturas de famílias, locais de trabalho, órgãos governamentais e sociedade civil. O fascismo promete resolver isso eliminando tais diferenças. Em vez disso, na ideologia fascista, todas as instituições, da família à empresa, passando pelo Estado, seriam administradas de acordo com o Princípio do Führer. O pai, na ideologia fascista, é o líder da família; o CEO é o líder da empresa; o líder autoritário é o pai, ou o CEO, do Estado. Quando os eleitores de uma sociedade democrática anseiam por um CEO como presidente, eles estão respondendo a seus próprios impulsos fascistas implícitos.

A atração da política fascista é poderosa. Ela simplifica a existência humana, nos dá um objeto, um "eles" cuja suposta preguiça ressalta nossa própria virtude e disciplina, nos encoraja a nos identificar com um líder forte que nos ajuda a entender o mundo, um líder cuja franqueza em relação às pessoas "indignas" do mundo é reconfortante. Se a democracia parece uma empresa bem-sucedida, se o CEO é durão e pouco se importa com as instituições democráticas, até mesmo as denigre, tanto melhor. A política fascista ataca a fragilidade humana que faz com que nosso sofrimento pareça suportável se soubermos que aqueles que menosprezamos estão sofrendo mais.

Pode ser frustrante navegar pelas tensões criadas por se viver num Estado dotado de uma esfera democrática de governança, uma esfera econômica hierárquica não democrática e uma sociedade civil rica e complexa repleta de organizações, associações e grupos comunitários que aderem a múltiplas visões do que seja uma vida plena. A cidadania democrática requer um grau de empatia, discernimento e bondade que exige muito de todos nós. Existem maneiras mais fáceis de viver.

Por exemplo, podemos reduzir nosso engajamento público ao consumo, enxergar nosso trabalho como algo que precisamos fazer para entrar no mercado de consumo com dinheiro em nossos bolsos, livres para escolher nossos aplicativos, para moldar uma identidade baseada no consumo.

Ou podemos nos globalizar e expandir nossa compreensão de "nós" vagando pelo mundo e apreciando suas culturas e maravilhas, considerando que tanto as pessoas que vivem nos campos de refugiados do mundo quanto os moradores de pequenas cidades em Iowa são nossos vizinhos, enquanto mantemos uma conexão com nossas próprias tradições e deveres locais.

Mas essa visão envolvente do eu que se move no tempo e nas culturas é profundamente problemática sob condições da desigualdade econômica. Ela requer experiências profundas com diferenças de todos os tipos. Pode exigir uma educação que seja generosa, sábia, comprometida com a ciência secular e com a verdade poética. Quando, nos Estados Unidos, pode ser necessário despender toda a renda familiar para pagar os estudos de um único filho numa boa universidade por um ano, devemos perguntar: quem de nós acaba se tornando membro de uma cidadania tão bem-sucedida e de mente tão aberta? Quando as universidades são caras como as dos Estados Unidos, suas generosas visões liberais são alvos fáceis para a demagogia fascista. Sob condições de grande desigualdade econômica, quando os benefícios da educação liberal e a exposição a diversas culturas e normas estão disponíveis apenas para os poucos ricos, a tolerância liberal pode ser suavemente apresentada como privilégio da elite. A grande desigualdade econômica cria condições ricamente conducentes à demagogia fascista. É fantasia pensar que as normas democráticas liberais podem florescer em tais condições.

EPÍLOGO

Os mecanismos da política fascista apoiam-se uns nos outros, tecendo um mito de diferenciação entre "nós" e "eles", com base num passado fictício romantizado, em que há "nós", mas não "eles", e num ressentimento em relação a uma elite liberal corrupta, que se apropria de nosso suado dinheiro e ameaça nossas tradições. "Eles" são criminosos preguiçosos com quem a liberdade seria desperdiçada (e que, de todo modo, não a merecem). "Eles" mascaram seus objetivos destrutivos com a linguagem do liberalismo, ou da "justiça social", e estão destinados a destruir nossa cultura e tradições, fazendo com que "nós" nos tornemos fracos. "Nós" somos diligentes e cumpridores da lei, tendo conquistado nossas liberdades por meio do trabalho; "eles" são indolentes, perversos, corruptos e decadentes. A política fascista transita em delírios que criam esse tipo de falsas distinções entre "nós" e "eles", independentemente de realidades óbvias.

Alguns podem se queixar de exagero nos argumentos que apresento, ou objetar que os exemplos contemporâneos não são suficientemente extremos para serem justapostos aos crimes da história. Mas a ameaça da normalização do mito fascista é real. É tentador pensar em "normal" como algo benigno; quando está tudo normal, não há motivo para alarme. No entanto, tanto a história quanto a psicologia mostram que nossos julgamentos sobre normalidade nem sempre são confiáveis. Em "Part Statistical, Part Evaluative" [Parte estatística, parte avaliação], um artigo de 2017 da revista *Cognition*, Joshua Knobe, filósofo de Yale, e seu colega Adam Bear, psicólogo também de Yale, demonstram que os julgamentos de normalidade são afetados tanto pelo que as pessoas consideram estatisticamente normal quanto pelo que elas consideram idealmente normal, isto é, saudável e adequado (por exemplo, quantidade de horas por dia em frente à televisão).[1] Num artigo para o Sunday Review do *New York Times*, eles aplicam suas conclusões a nossos julgamentos sobre o mundo social, revelando que o comportamento persistente do presidente Trump – as ações e o discurso que costumavam ser considerados extraordinários – têm consequências reais e perturbadoras: "Essas ações estão não apenas sendo consideradas mais típicas; elas passam a ser vistas como mais normais. Consequentemente, elas serão consideradas como menos negativas e, portanto, menos sujeitas a indignação".[2]

O trabalho de Knobe e Bear fornece uma base para um fenômeno que aqueles que viveram as transições da democracia para o fascismo frequentemente enfatizam, com base na própria experiência, e com grande alarme: a tendência das populações de normalizar o que antes era inconcebível. Este é um tema central do livro de memórias da minha avó Ilse Stanley, *The Unforgotten*. Minha avó permaneceu em Berlim até o último momento possível, em julho de 1939, para que pudesse continuar trabalhando na resistência. De

1936 à Kristallnacht*, ela estava se aventurando no campo de concentração de Sachsenhausen, vestida de assistente social nazista, resgatando da morte centenas de judeus ali confinados, um por um. Em seu livro, ela relata a disparidade entre os extremos que testemunhou no campo de concentração e a negação da gravidade da situação – sua normalização – por parte da comunidade judaica de Berlim. Ela penava para convencer seus vizinhos da verdade:

> Um campo de concentração, para aqueles do lado de fora, era uma espécie de campo de trabalho. Havia boatos, sussurrados, de pessoas sendo espancadas, até mesmo mortas. Mas não havia uma verdadeira compreensão da trágica realidade. Ainda tínhamos permissão para sair do país; ainda podíamos morar em nossas casas; ainda podíamos rezar em nossos templos; nós estávamos num gueto, mas a maioria do nosso povo ainda estava viva.
> Para o judeu comum, isso parecia suficiente. Ele não percebia que estávamos todos esperando pelo fim.
> O ano era 1937.

Nos Estados Unidos, vimos a normalização de políticas extremas com o rápido desenvolvimento do encarceramento racializado em massa, que ocorreu em minha geração. Mais recentemente, nos Estados Unidos, vimos a normalização dos tiroteios em massa. Na Hungria e na Polônia, que só recente-

* Literalmente, Noite dos Cristais: uma perseguição aos judeus realizada na noite de 9 para 10 de novembro de 1938 na Alemanha nazista. Centenas de pessoas foram mortas e milhares foram presas. O nome se deve aos cacos de vidro que tomaram as ruas depois da destruição de fachadas de lojas e janelas de prédios e sinagogas. (N.E.)

mente passaram a ser democracias liberais prósperas, temos exemplos vívidos da rápida normalização do fascismo. E agora estamos vendo o brutal tratamento público de refugiados e trabalhadores sem documentos sendo normalizado em todo o mundo. Nos Estados Unidos, à medida que a campanha de Donald Trump contra a imigração se intensifica, ela varre um número incontável de trabalhadores sem documentos de todas as origens para centros de detenção anônimos administrados pela iniciativa privada, onde eles são escondidos da visão e da preocupação pública.

O que a normalização faz é transformar o que é moralmente extraordinário em ordinário. Isso nos torna capazes de tolerar o que antes era intolerável, fazendo parecer que é assim que as coisas sempre foram. Em contrapartida, a palavra "fascista" adquiriu um matiz de extremismo, como se fosse alarme falso. A normalização da ideologia fascista, por definição, faria com que as acusações de "fascismo" parecessem uma reação exagerada, mesmo em sociedades cujas normas estão se transformando com base nessas linhas preocupantes. Normalização significa precisamente que a invasão de condições ideologicamente extremas não é reconhecida como tal porque elas parecem normais. A acusação de fascismo sempre parecerá extrema; "normalização" significa que as regras do jogo para o uso legítimo de terminologia "extrema" estão sempre mudando.

Que nosso senso de normalidade – e nossa capacidade de julgá-la – esteja mudando não significa que o fascismo agora recaia sobre nós. O que significa é que a sensação intuitiva de que as acusações de "fascismo" são exageradas não é um argumento suficientemente bom contra o uso da palavra. Em vez disso, os argumentos sobre a invasão da política fascista precisam de uma compreensão específica de seu significado e das táticas que ela abrange.

Aqueles que empregam táticas fascistas para ganho político têm objetivos variados. Agora, pelo menos, não parece que eles pretendem mobilizar populações para dominar o mundo, como, por exemplo, Hitler pretendia. Em vez disso, embora os objetivos sejam variados, existem aspectos comuns do pensamento e da política fascista que trabalham em sinergia. Como sou americano, devo observar que um dos objetivos parece ser usar as táticas fascistas hipocritamente, agitando a bandeira do nacionalismo na frente de pessoas brancas de classe média e da classe trabalhadora a fim de canalizar os espólios do Estado para as mãos dos oligarcas. Ao mesmo tempo, como durante a era das leis Jim Crow nos Estados Unidos, os políticos continuam a assegurar a seus defensores que a identidade nacional, definida de várias maneiras, oferece status e dignidade "inestimáveis".

A política fascista atrai seu público com a tentação de se libertar das normas democráticas, mascarando o fato de que a alternativa proposta não é uma forma de liberdade que possa sustentar um Estado-nação estável e dificilmente garantirá a liberdade. Um conflito étnico, religioso, racial ou nacional entre "nós" e "eles" que tenha suas bases no Estado não tem como continuar estável por muito tempo. E, sim, mesmo se o fascismo pudesse sustentar um Estado estável, seria uma boa comunidade política, um país decente no qual as crianças podem ser socializadas para se tornarem seres humanos empáticos? As crianças certamente podem ser ensinadas a odiar, mas afirmar o ódio como uma dimensão da socialização tem consequências indesejadas. Alguém realmente quer que o senso de identidade de seus filhos seja baseado num legado de marginalização dos outros?

Considerando-se a inevitabilidade da crescente mudança climática e seus efeitos, a instabilidade política e social de nossos tempos, conforme discutido acima, e a tensão e os conflitos inerentes à crescente desigualdade econômica global, em breve nos encontraremos diante de movimentos de pessoas desfavorecidas cruzando fronteiras que ofuscam aqueles de épocas anteriores, não excetuando o movimento de refugiados na Segunda Guerra Mundial. Traumatizados, empobrecidos e precisando de ajuda, os refugiados, incluindo imigrantes legais, serão remodelados para se adequarem aos estereótipos racistas por parte de líderes e movimentos comprometidos em manter privilégios de grupos hierárquicos e em usar a política fascista. Muitos cidadãos ponderados em todo o mundo acreditam que este processo já está em jogo. Sob uma óptica fascista, a narrativa dos refugiados – a vida nos campos de refugiados, a jornada do medo e do conflito até esses campos, a falta de esperança que acompanha o tempo prolongado nesses lugares –, em vez de engendrar empatia, é apresentada como a origem do terrorismo e do perigo. Essas populações lutam em meio a horrores indescritíveis para chegar a portos mais seguros. Que até essas pessoas possam ser pintadas como ameaças fundamentais é um testemunho do poder ilusório do mito fascista. Tentei, nas páginas deste livro, explicar sua estrutura para que ele possa ser reconhecido e combatido.

Os desafios que enfrentaremos são enormes. Como manter um senso comum de humanidade, se o medo e a insegurança nos levarão a fugir para os reconfortantes braços da superioridade mítica, numa busca vã por um senso de dignidade? Perguntas inquietantes definem nossos tempos. No entanto, podemos nos confortar com as histórias dos movimentos sociais progressistas, que, enfrentando grandes dificuldades e com muita determinação, conseguiram ter sucesso no projeto de suscitar empatia.

Na mira direta da política fascista – refugiados, feminismo, sindicatos trabalhistas, minorias raciais, religiosas e sexuais – podemos ver os métodos usados para nos dividir. Mas não devemos nos esquecer nunca de que a política fascista visa, sobretudo, seu público-alvo, aqueles a quem busca enredar em seu domínio ilusório, inscrever num estado em que todos os considerados "dignos" de status humano são cada vez mais subjugados pela ilusão em massa. Aqueles que não estão incluídos nesse público-alvo e status esperam nos campos do mundo, títeres, homens e mulheres, prontos para serem escalados para os papéis de estupradores, assassinos, terroristas. Recusando-nos a ser enfeitiçados pelos mitos fascistas, permanecemos livres para mobilizar uns aos outros, todos nós falhos, todos nós parciais em nosso pensamento, experiência e compreensão, mas nenhum de nós demônio.

AGRADECIMENTOS

Minha mãe, Sara Stanley, e meu pai, Manfred Stanley, são refugiados que vieram para os Estados Unidos, ambos tendo vivido os horrores do antissemitismo na Europa Ocidental e Oriental. Meu pai viveu a Kristallnacht, dez dias antes de seu sexto aniversário. Minha mãe é do leste da Polônia e sobreviveu num campo de trabalho siberiano antes de ser repatriada e enviada para Varsóvia em 1945, onde ela e seus pais vivenciaram a brutalidade do antissemitismo polonês do pós-guerra. Fui criado também com o legado de minha avó, Ilse Stanley, cujas memórias da década de 1930 em Berlim, *The Unforgotten*, orientam essas páginas. Minha origem familiar me impôs uma bagagem emocional difícil. Mas também, de modo crucial, me preparou para escrever este livro.

Mas este livro, evidentemente, não tem raízes apenas na Europa. Uma das minhas principais influências intelectuais é minha madrasta, Mary Stanley. Mary entrou na minha vida cedo e ajudou a me aprofundar na história americana. Graças a ela, aprendi cedo na vida sobre o abolicionismo, a história do movimento trabalhista e, acima de tudo, o movimento dos direitos civis, do qual ela participou como estudante universitária. Não é exagero dizer que a visão de mundo de minha mãe e meu pai são pessimistas – um legado emocional que combato para não transmiti-lo a mais uma geração. Mary sempre esteve lá para me lembrar de deixar dez porcento para a esperança; sua voz ecoa pelas páginas deste livro nesses momentos. Ela também leu cuidadosamente vários rascunhos, e certas seções são, em essência, o resultado de seus comentários. Sou muito afortunado de tê-la em minha vida e tenho uma grande dívida de gratidão para com ela.

Mary não foi a única voz que me ajudou a ver a centralidade da história dos EUA em relação ao fascismo. Fui generosamente abençoado com amigos próximos, como a historiadora norte-americana Donna Murch e a filósofa Kristie Dotson, que pacientemente conversaram comigo sobre as maneiras pelas quais o racismo norte-americano influenciou na ascensão do fascismo europeu. Dotson e Murch eram apenas parte de um generoso grupo de pesquisa, cuja filial de New Haven foi liderada por Timothy Snyder e Marci Shore, e tinha como membros Reginald Dwayne Betts, Robin Dembroff, Zoltan Gendler-Szabo, Antuan Johnson, Ben Justice, Titus Kaphar, Kathryn Lofton, Tracey Meares, Claudia Rankine, Jennifer Richeson e Anshul Verma (esta lista é, lamentavelmente, apenas parcial). Sou grato ao meu grupo de amigos em New Haven pelo generoso envolvimento com meu trabalho. Também devo reconhecer uma dívida de gratidão para com os alunos de graduação que fizeram meu curso de Propaganda, Ideologia e Democracia, e com quem aprendi muito ao longo dos anos. Fora de New Haven, uma série de pensadores influenciou minha reflexão sobre os temas deste livro, incluindo Lewis Gordon, Lori Gruen, Howard Kahn, Sari Kisilevsky, Michael Lynch, Kate Manne, Charles Mills, David

Livingstone Smith, Amia Srinivasan, Ken Taylor, Lynne Tirrell, Elizabeth Anderson e Peter Railton. Agradeço a Brian Leiter e Samuel Leiter por me desafiarem a explicar de que forma a teoria da propaganda de meu livro de 2015 era relevante para as políticas fascistas.[1] Tenho uma dívida particularmente grande com o linguista David Beaver, coautor de outro livro em que estou trabalhando, para a Princeton University Press, chamado *Hustle: The Politics of Language*. David tem sido um interlocutor inestimável durante todo esse processo.

Este livro surgiu de uma sugestão do meu editor da Princeton University Press, Rob Tempio, de dar continuidade a meu livro de 2015, *How Propaganda Works* [Como funciona a propaganda] com um trabalho sobre o fascismo. Sou grato por sua generosidade intelectual e confiança em minha capacidade de fazer um trabalho politicamente importante. Eu nunca havia escrito um livro comercial. Por recomendação de amigos, entrei em contato com agentes e decidi empregar Stephanie Steiker, da Regal e Hoffman, como minha agente. Quando começamos nossa relação de trabalho no verão de 2017, eu tinha um esboço de duas páginas deste livro. No início de setembro, nos encontramos pela primeira vez. Stephanie sempre me apoiou, me falou a verdade nua e crua quando precisei ouvi-la e (igualmente importante) a ocultou de mim quando seria muito prejudicial. Ela leu inúmeras versões iniciais, e várias vezes me afastou de bancos de areia em direção a águas abertas. Uma sorte igualmente grande veio na forma da minha editora da Random House, Molly Turpin. Depois de adquirir os direitos sobre o livro em novembro de 2017, ela leu cerca de meia dúzia de rascunhos e editou, basicamente, cada linha. No que diz respeito à escrita estilística deste livro, grande parte do crédito é para ela. Estou profundamente grato a Stephanie e Molly.

Em casa, em New Haven, minha sogra, Karen Ambush Thande, tem sido sempre uma fonte de apoio de diversas maneiras, por exemplo, servindo como uma caixa de ressonância crucial para ideias, usando seu profundo conhecimento sobre a tradição negra americana que tomei como base para explorar aqui. Meus filhos, Alain e Emile, são minha fonte de maior alegria, bem como lembranças vivas da necessidade deste trabalho. Eu tenho lutado arduamente para transmitir a sabedoria que vem de seu legado, evitando passar as cargas psíquicas que esse legado envolve. Se eu conseguir isso, será minha maior vitória. Finalmente, como sempre, minha maior dívida é com minha parceira, Njeri Thande. Não há ninguém a quem eu deva tanto, e ninguém que eu estime mais.

NOTAS

INTRODUÇÃO

1. Lindbergh, Charles. "Aviation, Geography, and Race". *Reader's Digest*. p. 64-7, nov. 1939.
2. Ver Steigmann-Gall, Richard. "Star-spangled Fascism: American Interwar Political Extremism in Comparative Perspective". *Social History*, v. 42, n.1, p. 94-119, 2017.
3. Ver Kteily, Nour; Bruneau, Emile. "Backlash: The Politics and Real-World Consequences of Minority Group Dehumanization". *Personality and Social Psychology Bulletin*, v. 43, n.1, p. 87-104, 2017.

CAPÍTULO 1: O PASSADO MÍTICO

1. "Fascism's Myth: The Nation", In: Griffin, Roger (org.). *Fascism*. Oxford: Oxford University Press, 1995, p. 43-4.
2. Rosenberg, Alfred. "The Folkish Idea of State". In: Lane, Barbara Miller; Rupp, Leila J. *Nazi Ideology Before 1933: A Documentation*. Austin: University of Texas Press, 1978, p. 60-74.
3. "Motherhood and Warriorhood as the Key to National Socialism". In: Griffin. *Fascism*. p. 123.
4. "The New German Woman". In: griffin. *Fascism*. p. 137.
5. Grunberger, Richard. *The 12-Year Reich: A Social History of Nazi Germany 1933-45*. Nova York: Da Capo Press, 1971. p. 252-3.

6. Gupta, Charu. “Politics of Gender: Women in Nazi Germany”. *Economic and Political Weekly*, v. 26, n.17, abr. 1991.
7. Weev. “Just What Are Traditonal Gender Roles?” *The Daily Stormer*, mai. 2017. Disponível em: <https://dailystormer.name/just-what-are-traditional-gender-roles/>.
8. Mees, Bernard. *The Science of the Swastika.* Budapeste: Central European University Press, 2008. p. 115.
9. Beech, Hannah. “‘There Is No Such Thing as Rohingya’: Myanmar Erases a History”. *New York Times.* Nova York, 2 dez. 2017.
10. “Gemützszustand eines total besiegten Volkes”. *Der Tagespiel.* 19. jan. 2017. Disponível em: <https://www.tagesspiegel.de/politik/hoecke-rede-im-wortlaut-gemuetszustand-eines-total-besiegten-volkes/19273518.html>.
11. Himmler, H. “Zum Gleit”. Germanien 8, 1936, p. 193 *apud* Mees, Bernard. *The Science of the Swastika.* Budapeste: Central European University Press, 2008. p. 124.
12. Rotella, Katie N.; Richeson, Jennifer A. “Motivated to ‘Forget’: The Effects of In-Group Wrongdoing on Memory and Collective Guilt”. *Social Psychological and Personality Science*, v. 4, n. 6, p. 730-7, 2013.
13. Sahdra, B.; Ross, M. “Group Identification and Historical Memory”. *Personality and Social Psychology Bulletin*, v. 33, p. 384-95, 2017.
14. Ver, por exemplo, Tharoor, Ishaan. “Hungary’s Orbán Invokes Ottoman Invasion to Justify Keeping Refugees Out”. *Washington Post.* 4 set. 2015.

CAPÍTULO 2: PROPAGANDA

1. Hinton, Elizabeth. *From the War on Poverty to the War on Crime: The Making of Mass Incarceration in America.* Cambridge: Harvard University Press, 2016. p. 142.
2. Grunberger, Richard. *The 12-Year Reich: A Social History of Nazi Germany 1933-1945.* Nova York: Da Capo Press, 1995. p. 90.
3. Du Bois, W.E.B. *Black Reconstruction.* Nova York: Oxford University Press, 2014. p. 419.
4. Ibid., p. 583.
5. Kate Manne, em *Down Girl: The Logic of Misogyny* (Nova York: Oxford University Press, 2018), argumentou que uma dialética semelhante estava em jogo na perda de Clinton em 2016 para Trump (ver p. 256-63 e 271).

6. Pomerantsev, Peter. *Nothing Is True and Everything Is Possible: The Surreal Heart of the New Russia.* Nova York: PublicAffairs, 2014. p. 65.
7. Ver Varol, Ozan O. "Stealth Authoritarianism". *Iowa Law Review.* v. 100. p. 1673-1742, 1677, 2015.
8. Douglass, Frederick. "What to the Slave Is the Fourth of July?". 5 jul. 1852. Disponível em: <https://www.thenation.com/article/what-slave-fourth-july-frederick-douglass>.
9. Ibid.
10. Mees, Bernard. *The Science of the Swastika.* Budapeste: Central European University Press, 2008. p. 112-3.
11. <https://www.youtube.com/watch?v=TTZloCWuhXE>.

CAPÍTULO 3: ANTI-INTELECTUALISMO

1. Como exemplo, Chris Caesar descreve a estratégia da campanha de Trump desta maneira em "Trump Ran Against Political Correctness. Now His Team Is Begging for Politeness", *Washington Post.* 16 mai. 2017.
2. O'Harrow Jr., Robert; Boburg, Shawn. "How a 'Shadow' Universe of Charities Joined with Political Warriors to Fuel Trump's Rise". *Washington Post,* 3 jun. 2017.
3. Zamudio-Suarez, Fernanda. "Missouri Lawmaker Who Wants to Eliminate Tenure Says It's 'Un-American'". *Chronicle of Higher Education,* 12 jan. 2017.
4. Gupta, Charu. "Politics of Gender: Women in Nazi Germany". *Economic and Political Weekly,* v. 26, n. 17, p. 40-8, 1991.
5. Gessen, Masha. *The Future Is History: How Totalitarianism Reclaimed Russia.* Nova York: Riverhead Books, 2017. As citações estão nas p. 264-7.
6. Weir, Fred. "Why Is Someone Trying to Shutter One of Russia's Top Private Universities?". *Christian Science Monitor.* 28 mar. 2017.
7. Ver o excelente artigo de Jedidiah Purdy para a *New Yorker,* de 19 de março de 2015, "Ayn Rand Comes to UNC", de onde obtive as informações dos últimos dois parágrafos sobre a Carolina do Norte.
8. Ver Linskey, Annie. "With Patience, and a Lot of Money, Kochs Sow Conservatism on Campuses". *Boston Globe.* 2 fev. 2018.

9. "In Turkey, Crackdown on Academics Heats Up". Voice of America. 14 fev. 2017.
10. Citado em "Science Scorned" (editorial), *Nature*. n. 467.133, set. 2010.
11. Drieu la Rochelle, Pierre. "The Rebirth of European Man". In: Griffin, Roger (org.) *Fascism*. Oxford: Oxford University Press, 2010. p. 202-3.
12. Hitler, Adolf. *Mein Kampf* (*My Battle*). Resumo e trad. E. T. S. Dugdale. Boston e Nova York: Houghton Mifflin Company, The Riverside Press Cambridge. 1933. p. 76-7.
13. Klemperer, Victor. *The Language of the Third Reich*. Nova York: Continuum, 1947. p. 20-1. [Ed. bras.: *A linguagem do Terceiro Reich*. Rio de Janeiro: Contraponto Editora, 2009.]
14. "Fascist Mysticism". In: Griffin. *Fascism*. p. 55.
15. Lewis, Michael. "Has Anyone Seen the President?" *Bloomberg View*, 9 fev. 2018.

CAPÍTULO 4: IRREALIDADE

1. Arendt, Hannah. *The Origins of Totalitarianism*. Nova York: Harcourt Brace, 1973. p. 351. [Ed. bras.: *Origens do totalitarismo*. São Paulo: Companhia de Bolso, 2013.]
2. Cassirer, Ernst. "The Technique of the Modern Political Myths". In: ______. *The Myth of the State*. New Haven: Yale University Press, 1946. [Ed. bras.: *O mito do Estado*. São Paulo: Editora Códex, 2003.]
3. Ver artigo de Brian Tashman, de 30 de outubro de 2014, "Tony Perkins: Gay Rights Part of Population Control Agenda" em *Right Wing Watch*.
4. Ver Hahl, Oliver; Kim, Minjae; Zuckerman, Ezra. "The Authentic Appeal of the Lying Demagogue". *American Sociological Review*. fev. 2018.
5. <https://www.thenation.com/article/exclusive-lee-atwaters-infamous-198-interview-southern-strategy/>.

CAPÍTULO 5: HIERARQUIA

1. Ver Sidanius, Jim; Pratto, Felicia. *Social Dominance: An Intergroup Theory of Social Hierarchy and Oppression*. Nova York: Cambridge University Press, 1999.
2. Pratto, Felicia; Sidanius, Jim; Levin, Shana. "Social Dominance Theory and the Dynamics of Intergroup Relations: Taking Stock

and Looking Forward". *European Review of Social Psychology*, v. 17, n. 1, p. 271-320. 3.http://teachingamericanhistory.org/library/document/cornerstone-speech/.

4. Du Bois, W.E.B. "Of the Ruling of Men". In: ______. *Darkwater*. Dover, 1999.
5. Rosenberg, Alfred. "The Protocols of the Elders of Zion and Jewish World Policy". In: Lane, Barbara Miller; Rupp, Leila J. (Orgs.) *Nazi Ideology Before 1933: A Documentation*. Austin: University of Texas Press, 1978. p. 44-59.

CAPÍTULO 6: VITIMIZAÇÃO

1. Du Bois, W.E.B. *Black Reconstruction in America: 1860-80*. Nova York: Free Press, 1935. p. 283.
2. Kraus, Michael; Rucker, Julian; Richeson, Jennifer. "Americans Misperceive Racial Economic Equality". *Proceedings of the National Academy of Sciences of the United States of America*, v. 114, n. 39, p. 10324-31.
3. Um artigo clássico é "Race Prejudice as a Sense of Group Position", de Herbert Blumer, *Pacific Sociological Review*, v. 1, n. 1, p. 3-7, primavera 1958.
4. Craig, Maureen; Richeson, Jennifer. "On the Precipice of a 'Majority-Minority' America: Perceived Status Threat from the Racial Demographic Shift Affects White Americans' Political Ideology". *Psychological Science*, v. 25, n. 6, p. 1189-97, 2014.
5. Craig, M. A.; Rucker, J. M.; Richeson, J. A. "Racial and Political Dynamics of an Approaching 'Majority-Minority' United States". *Annals of the American Academy of Political and Social Science*, abr. 2018.
6. Kimmel, Michael. *Angry White Men: American Masculinity at the End of an Era*. Nova York: Nation Books, 2013. p. 110-1.
7. Ibid., p. 112.
8. Ver Manne, Kate. *Down Girl: The Logic of Misogyny*. Nova York: Oxford University Press, 2018. p. 156-7.

CAPÍTULO 7: LEI E ORDEM

1. Porter, Shanette C.; Rheinschmidt-Same, Michelle; Richeson, Jennifer. "Inferring Identity from Language: Linguistic Intergroup Bias Informs Social Categorization". *Psychological Science*, v. 27, n.1, p. 94-102, 2016.

2. Baldwin, James. "Negroes Are Anti-Semitic Because They Are Anti--White". *New York Times*. 9 abr. 1967.
3. Subtirelu, Nic. "Covering Baltimore: Protest or Riot?" *Linguistic Pulse: Analyzing the Circulation of Discourse in Society*. 29 abr. 2015.
4. Roodman, David. "The Impacts of Incarceration on Crime Open Philanthropy Project". set. 2017.
5. Ver Lerman, Amy; Weaver, Vesla. *The Democratic Consequences of American Crime Control*. Chicago: University of Chicago Press, 2014.
6. Du Bois, W. E. Burghardt. *The Annals of the American Academy of Political and Social Science*, v. 11, p. 1-23, jan. 1898.
7. Rattan, Aneeta; Levine, Cynthia; Dweck, Carol; Eberhardt, Jennifer. "Race and the Fragility of the Legal Distinction Between Juveniles and Adults". *PLoS ONE*, v. 7, n. 5, 23 mai. 2012.
8. Hetey, Rebecca C.; Eberhardt, Jennifer L. "Racial Disparities in Incarceration Increase Acceptance of Punitive Policies". *Psychological Science*, v. 25, n. 10, p. 1949-54, 2014.

CAPÍTULO 8: ANSIEDADE SEXUAL

1. Nelson, Keith. "The 'Black Horror on the Rhine': Race as a Factor in Post-World War I Diplomacy". *Journal of Modern History*, v. 42, n. 4, dez., p. 606-27, 1970.
2. "Rape, Racism, and the Myth of the Black Rapist". In: Davis, Angela. *Women, Race and Class*. Nova York: Random House, 1981. p. 173. [Ed. bras.: *Mulheres, raça e classe*. São Paulo: Boitempo, 2016.]
3. Feimster, Crystal Nicole. *Southern Horrors: Women and the Politics of Rape and Lynching*. Cambridge, MA: Harvard University Press, 2009. p. 78-9.
4. Ver, por exemplo, Ibid., p. 90.
5. Gupta, Charu. "The Myth of Love Jihad". *Indian Express*. 28 ago. 2014. Gupta também tem um artigo acadêmico sobre o mito da jihad de amor: "Allegories of 'Love Jihad' and Ghar Vāpasī: Interlocking the Socio-Religious with the Political". *Archiv Orientální*, n. 84, p. 291-316, 2016.
6. Serano, Julia. *Whipping Girl: A Transsexual Woman on Sexism and the Scapegoating of Femininity*. Berkeley: Seal Press, 2007. p. 15.
7. Laakso, Johanna. "Friends and Foes of 'Freedom'". *Hungarian Spectrum* (on-line). 28 dez. 2017.

CAPÍTULO 9: SODOMA E GOMORRA

1. *Mein Kampf*, p. 52.
2. Hitler, Adolf; Weinberg, Gerhard; Smith, Krista. *Hitler's Second Book: The Unpublished Sequel to Mein Kampf.* Enigma Books, 2006. p. 26.
3. Rosenberg, Alfred. "German Freedom as a Prerequisite for Folk Culture". In: Lane, Barbara Miller; Rupp, Leila J. *Nazi Ideology Before 1933: A Documentation.* Austin: University of Texas Press, 1978. p. 124-6.
4. "Official Party Statement on Its Attitude Toward the Farmers and Agriculture". In: Lane; Rupp. *Nazi Ideology Before 1933.* p. 118-23.
5. Ibid., p. 122.
6. Sacchetti, Maria; Guskin, Emily. "In Rural America, Fewer Immigrants and Less Tolerance". *Washington Post.* 17 jun. 2017.
7. Pasha-Robinson, Lucy. "French Election: Marine Le Pen Wins Just 5% of Paris Vote While FN Rural Support Surges". *Independent.* 24 abr. 2017.
8. "The Maps that Show How France Voted and Why". BBC News. 12 mai. 2017. Disponível em: <https://www.bbc.com/news/world-europe-39870460>.
9. Passchier, Nico. "The Electoral Geography of the Nazi Landslide: The Need for Community Studies". In: Larsen, Stein Ugelvik; Hagtvet, Bernt; Myklebust, Jan Petter (orgs.). *Who Were the Fascists.* Oslo: Universitatsforlaget, 1980. p. 283-300.
10. Ackerman, Elliot. "Atatürk Versus Erdoğan: Turkey's Long Struggle". *New Yorker.* 16 jul. 2016.
11. Do capítulo "The Jews". In: Grunberger, Richard. *The 12-Year Reich: A Social History of Nazi Germany 1933-1945.* Nova York: Da Capo Press, 1995. p. 458.
12. *Mein Kampf.* p. 9.
13. Darré, R. W. "The Peasantry as the Key to Understanding the Nordic Race". In: Lane; Rupp. *Nazi Ideology Before 1933.* p. 103-6.
14. Ver Gessen, Masha. *The Future Is History: How Totalitarianism Reclaimed Russia.* Nova York: Riverhead Books, 2017. p. 374-5, para a obsessão de Putin com os índices de natalidade.
15. Mussolini, Benito. "The Strength in Numbers". In: Griffin, Roger (ed.). *Fascism.* Oxford: Oxford University Press, p. 58-9.
16. *Mein Kampf.* p. 127.
17. Wegner, Gregory Paul. *Anti-Semitism and Schooling Under the Third Reich.* Nova York: Routledge, 2002. p. 59.

CAPÍTULO 10: ARBEIT MACHT FREI

1. "Guidelines of the German Workers' Party". In: Lane, Barbara Miller; Rupp, Leila J. *Nazi Ideology Before 1933: A Documentation.* Austin: University of Texas Press, 1978. p. 10.
2. Gilens, Martin. "'Race Coding' and White Opposition to Welfare". *American Political Science Review*, v. 90, n. 3, p. 593-604, set. 1996.
3. Arendt, Hannah. "The Seeds of a Fascist International". *Jewish Frontier* 1945, p. 12-6. O trecho aparece na p. 147 de Arendt, Hannah. *Essays in Understanding.* Nova York: Random House, 1994.
4. Snyder, Timothy. *Black Earth: The Holocaust as History and Warning.* Nova York: Crown, 2015. p. 228. [Ed. bras.: *Terra negra: O Holocausto como história e advertência.* São Paulo: Companhia das Letras, 2016.]
5. "Situation of Human Rights of Rohingya Muslims and Other Minorities in Myanmar", relatório do Alto Comissariado das Nações Unidas para os Direitos Humanos, relatório anual do Alto Comissariado das Nações Unidas para os Direitos Humanos e relatórios do Alto Comissariado e Secretaria-Geral, 28 jun. 2016.
6. Fanon, Frantz. *Black Skin, White Masks.* Nova York: Grove Press, 2008. p. 73. [Ed. bras.: *Pele negra, máscaras brancas.* Bahia: EDUFBA, 2008.]
7. Pager, Devah. "The Mark of a Criminal Record". *American Journal of Sociology*, v. 108, n. 5, p. 937-75, mar. 2003.
8. Blackmon, Douglas. *Slavery by Another Name: The Reenslavement of Black Americans from the Civil War to World War II.* Nova York: Doubleday, 2008.
9. Hinton, Elizabeth. *From the War on Poverty to the War on Crime: The Making of Mass Incarceration in America.* Cambridge, MA: Harvard University Press, 2016. p. 163.
10. Gordon, Lewis. *Bad Faith and Anti-Black Racism.* Humanity Books, 1995. Ver também Mills, Charles. "White Ignorance". In: Sullivan, Shannon; Tuana, Nancy. *Race and Epistemologies of Ignorance.* SUNY Press, 2007. p. 13-38; e Pohlhaus, Gaile. "Relational Knowing and Epistemic Injustice: Toward a Theory of Willful Hermeneutical Ignorance". In: *Hypatia: A Journal of Feminist Philosophy*, v. 27, n. 4, p. 715-35, 2012.
11. *Mein Kampf.* p. 258.
12. Fung, Archon. "It's the Gap, Stupid". *Boston Review.* 1 set. 2017.
13. Du Bois, W.E.B. *Black Reconstruction in America: 1860-1880.* Nova York: Free Press, 1935. p. 580.

14. Dixon, Marc. "Limiting Labor: Business Political Mobilization and Union Setback". *States Journal of Policy History*, v. 19, n. 2, p. 313-44, 2007.
15. Pierce, Michael. "The Origins of Right to Work: Vance Muse, Anti--Semitism, and the Maintenance of Jim Crow Labor Relations", *Labor and Working Class History Organization*, 12 de janeiro de 2017.
16. Para saber mais sobre as consequências antiliberais do libertarismo econômico e os assuntos deste parágrafo, ver o livro de 2017 de Elizabeth Anderson. *Private Government: How Employers Rule Our Lives (And Why We Don't Talk About It)*. Princeton University Press, 2017.
17. Discurso de Hitler para o Clube da Indústria em Düsseldorf. Citado em: Domarus, Max (org.). *Hitler: Speeches and Proclamations 1932-1945, The Chronicle of a Dictatorship*. v. 1. London: I. B. Tauris, 1990. p. 94-5.

EPÍLOGO

1. Bear, Adam; Knobe, Joshua. "Normality: Part Statistical, Part Evaluative". *Cognition*. v. 167. out. 2017. p: 25-37.
2. Bear, Adam; Knobe, Joshua. "The Normalization Trap". *New York Times* Sunday Review, 28 jan. 2017.

AGRADECIMENTOS

1. Leiter, Brian; Leiter, Samuel. "Not Your Grandfather's Propaganda". *The New Rambler Review*. out. 2015.

ÍNDICE REMISSIVO

lepmeditores

www.lpm.com.br
o site que conta tudo

Impresso na Gráfica COAN
Tubarão, SC, Brasil